常春藤传记馆

温儒敏／主编

以生命为支点改造教育

陶行知传

康丽　著

長春出版社
国家一级出版社
全国百佳图书出版单位

图书在版编目(CIP)数据

以生命为支点改造教育：陶行知传 / 康丽著. —长春：长春出版社,2021.12
(常春藤传记馆 / 温儒敏主编)
ISBN 978-7-5445-6483-0

Ⅰ.①以… Ⅱ.①康… Ⅲ.①陶行知(1891–1946)–传记 Ⅳ.①K825.46

中国版本图书馆 CIP 数据核字(2021)第 232745 号

以生命为支点改造教育：陶行知传

著　　者：康　丽
责任编辑：吴　尧
封面设计：长春出版社美术设计制作中心

出版发行：長春出版社　　总编室电话：0431-88563443
编辑室电话：0431-88524640　　发行部电话：0431-88561180
地　　址：吉林省长春市长春大街 309 号
邮　　编：130041
网　　址：www.cccbs.net
制　　版：荣辉图文
印　　刷：延边星月印刷有限公司
经　　销：新华书店

开　　本：880 毫米×1230 毫米　1/32
字　　数：107 千字
印　　张：7.75
版　　次：2021 年 12 月第 1 版
印　　次：2021 年 12 月第 1 次印刷
定　　价：25.80 元

总 序

温儒敏

十多年前，我主持人民教育出版社高中语文教材的编写，其中选修课就专门设置有《中外传记选读》一种，我自己还动手编写了这本教材。因为受高考“指挥棒”影响，一般学校的选修课未必真能让学生自主选修，很多选修教材编出来都没有使用，但《中外传记选读》一直很受欢迎，每年都有重印。这让我对传记的阅读推广有了特别的关注。

我还注意到最近三四年高考语文试题命制的一种趋向，无论全国卷还是其他省市卷，阅读题往往都选传记作为材料。比如今年（2016 年）全国卷的甲、乙、丙三个卷子，文言文阅读的材料全是传记，包括《明史·陈登云传》（甲卷）、《宋史·曾公亮传》（乙卷）和《明史·傅珪传》（丙卷）；现代文阅读的实用类文本也多用传记，节选了《吴文俊传》和《陈忠实传》。可见传记阅读越来越受到重视，考试也有意往这方面引导。

中小学语文教材也应当多选一些传记。现在教育部正组织编写一套新的义务教育语文教科书，聘我担任总主编，这套新教材就选了不少名人传记，并鼓励学生多读传记。

为什么中小学生要多读传记？我曾在《中外传记选读》的前言中说过理由，这里不妨转述一下：

> 同学们都渴望能拥有健全、快乐和成功的人生，现在的学习阶段就在做准备，而且其本身就已经是你人生经历的一部分。我们该怎样设计自己的人生？当然最重要的还是学习。除了学习文化知识，还要从历史人物或者成功的人物身上学习宝贵的生活道理、人生哲学以及获取成功的途径。这就是励志教育，是人生教育中非常重要的部分。人都需要不断添加生活的动力，特别是在年轻的时候，要有偶像和楷模，有高远目标的激励。如同英国思想家培根所说过的：“用伟人的事迹激励我们，远胜一切的教育。”让同学们从

那些杰出的成功的人物身上吸取人生的经验，从前人多种人生道路的选择中寻找我们各自的“契合点”，这就是我们设立这门课的主要目的。

这里说的“设立这门课的主要目的”，其实也是我们推出这套“常春藤传记馆”丛书的目的。

“常春藤传记馆”丛书由北京大学语文教育研究所组织编写，长春出版社出版。全套丛书初步设定为100种，每本10万字左右，其选目、内容和写法都是为中小学生“量身定制”的。我们希望这套丛书能作为基本图书进入中小学图书馆。和其他同类传记图书相比，“常春藤传记馆”丛书有四个特色：

一是传主覆盖范围广。包括中外古今各个领域的名人，涉及政治、军事、科学、实业、社会活动、文学、艺术、革命等领域。重点考虑有代表性的、在精神层面可以给学生激励的那些名人。

二是和课程教学有呼应。中小学除了语文，各个学科的教材和教学都会涉及中外古今各个领域的著名人物，选择主题首先考虑这一情况，选取学生有所接触又可能希望进一步了解的那些名人。这可以满足学生不同的兴趣爱好。

三是专门为中小学生编写。本套传记不是专业性强的评传，而是重在勾勒传主生平事业贡献的小传，内容和文字力求深入浅出，生动形象，有趣有味。阅读对象接受水平可以定位在初中程度，也可以稍高一点。特别是有些理科方面的传记，主要面对高中生。其实，小学生的课外阅读也要取法乎上，他们可以读这套为中等文化水平的读者设计的书。

四是内容安排上特别注重励志及健全的人格心理引导培养，在叙说传主生平事迹时，适当地自然地凸显这些方面的思考。

丛书取名“常春藤传记馆”，有特别的含义。“常春藤”是一种多年生常绿藤类灌木。美国哈佛大学等几所著名的私立大学，组成体育联盟，叫“常春藤盟校”，其起名是因为这些老校的校舍墙上常攀缘有常春藤。本丛书以“常春藤传记馆”作为标识，是虚拟的意象，可以联想到著名的学府，也可以联想到古代的书院，从而营造浓郁的阅读氛围和宁静的心境。另外，“常春”和“长春”同音，暗含这套丛书是由长春出版社出版的。

但愿广大师生喜欢这套书，也期盼大家提出批评建议，共同来经营好这套书，让“常春藤传记馆”更好地满足广大读者，特别是中小学生课外阅读的需求，满足语文教学的需求。

2016 年 6 月 30 日济南历下

（温儒敏，山东大学一级教授，北京大学中文系教授，教育部聘义务教育语文教科书总主编）

目录
contents

第一章
只有教育才能救中国

孜孜求学　拳拳报国

“一生痴绝处，无梦到徽州。”走进歙县，就仿佛走进古朴典雅、粉墙黛瓦的江南。

1891 年 10 月 18 日，陶行知就出生在这个湖光山色的古城。歙县钟灵毓秀、人杰地灵，是古徽州六县之一。古徽州底蕴厚重、崇尚教育，素有“文化之邦”的美誉，而且书院、私塾林立，为学子求学成才提供了优越的条件。童年接受到的徽学教育影响了陶行知的一生。

在《我的学历及终身志愿》一文中，陶行知特别提到“余生在徽州，此乃一鲜与外界交往之地。余早期汉学教育受业于家父及其他师长”。在这里，陶行知度过了自己的少年时代，接受了最初的启蒙教育。

陶家不算富裕之家。父亲陶位朝受过一些教育，性情温和，靠经营酱园店维持一家的生计，闲时看诗书自娱，也有一定的古文功底。但随着经济的衰败，镇子上的酱园开不下去，陶位朝只得回家务农。母亲曹翠仂，原籍绩溪县北乡，善良勤劳，为了补贴家用，常替人缝补浆洗衣服。

那时候的陶行知还不叫陶行知，父母给他取名“文濬”，乳名是“和尚”，因为曾有长姊夭折，取佛祖保佑之义。

陶行知曾为母亲作诗《吾母所遗剃刀》一首，特别提到母亲常常给自己剃头，“剃刀”是自己家的传家宝：

> 这把刀！
> 曾剃三代头，
> 细数省下钱，
> 换得两担油。

少年陶行知即显现出聪颖天分。6 岁时，陶行知到邻村去玩，被邻村私塾先生方庶咸相中，方先生是位老秀才，且医术不错，经常为村人义诊，在村里威望极高。他很欣赏陶行知，认为此子若培养有方，来日必成大器。就这样，陶行知六岁时正式就读于方庶咸门下，接受启蒙教育。

3 年后，陶位朝在万安找到一个新工作，他又把当时已经 9 岁的陶行知带到万安，就读于当地名师吴尔宽的经馆。因为诗文比较出众，陶行知很受吴尔宽的赏识。但两年时间刚过，陶位朝失去了这个职务，陶行知只得重新返乡。

此时的陶家，祖母已年迈，新添了妹妹美珠（后改名文渼），一家五口吃饭。陶位朝还染上了吸食大烟的不良嗜好，没法下地干活。11 岁的陶行知只得在家中帮助干活，每天凌晨挑柴到城里卖掉，再上学，下午还要赶到南山砍一担柴回家。尽管每天来回需要跋涉 20 里路，非常辛苦，但陶行知一直坚持求学。

当时歙县有位学问极好的贡生王藻，老先生受聘在歙县曹家任教。曹府是大户人家，尽管距离陶家甚远，但初生牛犊不怕虎的陶行知，经常登门求教，即使雨雪天也从不间断，天天去旁听，其刻苦坚毅，使王藻老先生赞许不已。

又是一个风雪天，陶行知前往曹家，途中路难行，到时王藻老先生正在授课，陶行知不敢惊动，恭敬静立门外。一两个小时过去了，王藻无意一瞥，才发现门外满身披雪的陶行知，大为感动。曹府内外也赞不绝口，说“古有程门立雪，今有王门立雪”。①

1906年，14岁的陶行知有了一个全新的机会，可以跨入崇一学堂，这是他人生关键的一步。

就在陶行知入崇一学堂的前一年，在中国历史上延续了1300年的科举制度正式废除。旧学废除，新学兴起，这是中国历史向现代过渡的转折时期，也是教育处于大变革的关键时期。而崇一学堂正是这一转折时期的重要产物，其隶属基督教内地会，正式名称为“安徽省徽州崇一私立中学堂”，是英国基督教内地会传教士唐进贤（原名G. W. Gibbs）于1900年开设的，是歙县最早的洋学堂，“崇一”即唯一崇拜的是上帝之意，招收的基本上是有基督教徒背景的学生。

从小接受旧学教育的陶行知之所以能进崇一

---

①摘自《陶行知青少年时期的老师》，《中华活页文选·教师版》2015年6期。

学堂，完全是机遇使然。原因就是母亲到教堂做帮佣，在厨房做一些杂活，而陶行知进城卖柴，也常常去教堂为母亲分担劳作。接触几次后，唐进贤牧师发现这孩子举止大方，事母至孝，虽是贫家少年，却熟读诗书，才华横溢，思维敏捷，极有见地，当即决定免去学费，收陶行知为崇一学堂正式学生。

这个消息让渴望求学的陶行知惊喜万分，而他也在后来的文章里提到“十四岁始入一中华耶稣内地会学堂，受教于唐进贤师，彼当时为仅有之西学教员也”。

既是西学教员，就可见崇一学堂的西式色彩，其学制三年，虽是教堂办的学校，但并不进行基督教义的教育。开设的课程有英文、国文、中国史、西洋史、教学、理化、医药、地理、音乐、体操等，完全不同于陶行知此前所接受的传统古文教育，这让他明白了，除了四书五经，这世界还有更为开阔的领域等待自己去探索。

当然，这所教会学校也深深影响到了陶行知，基督的仁慈博爱成为他日后为教育无私奉献的精神来源之一。1912 年，在就读金陵大学期间，陶行知曾参加过一系列聚会，并留下一段记录：“四年多来，耶稣基督与撒旦在我内心中争战，要夺取我这一颗心，耶稣得到了胜利，从今以后，我是耶稣基督的跟随者。”当然，陶行知并非基督教徒。其子陶宏在回忆录中写道：“父亲一直是在教会学校里长大的，但是他不是基督徒。我们家以前客房墙上挂着一张耶稣的像，那不过是表示我们大家对于耶稣舍己为人的自我牺牲精神的景仰而已。”

陶行知刚进入崇一学堂，就读二年级，当时在籍学生为 18 人，其中有的后来成为陶行知在金陵大学的同学，如中央大学图书馆馆长洪范五，南京安徽公学校长姚文采、新安画派代表画家汪采白等人。

两年的时间，虽然不长，却打开了陶行知的视野，由于他一直生活在中国社会的底层，从小就对民间的疾苦有深切的感受，对比中西教育的不同，感叹于当时国家的凋敝，他在寝室墙上，题写了“我是一个中国人，要为中国作出一些贡献来”以自勉。

这是陶行知教育救国思想最初的表述，也是

他实现少年时期理想的真情告白。正如华中师范大学原校长章开沅所说：“近代中国如果有两百个真正像晏阳初、陶行知一样的大教育家，则中国的教育甚至整个历史都会是另外一番景象。”

但在最初，面对民不聊生的种种惨状，许多人选择的是行医救民。与鲁迅一样，陶行知开始想的是学医救国。1908 年，17 岁的他考入了杭州著名的广济医学堂，想通过学医来解除民众的病痛，实现自己报效祖国的志向。但是，当陶行知发现，广济医学堂因为基督教背景，有些课程不向非基督徒开放，倔强的他对这种不公平待遇非常愤慨，仅上学 3 天就主动退学以示抗议，由此也可看出陶行知对信仰的真诚。

1909 年，退学后的陶行知无以为生，甚至不得不靠典当衣物度日。就在极度困难之际，陶行知在上海巧遇从英国归来的恩师唐进贤，在唐的极力推荐下，他前往南京考入美国基督教会创办的汇文书院。

也是凑巧，次年汇文书院、育宏书院合并升格为金陵大学，自此陶行知便成为金陵大学首届预科生，转入金陵大学文科。

辛亥革命后，革命风潮一日千丈。1911 年的陶行知，正是热血青年，他发奋努力，就是想通过自己的行动和付出，改变苦难的国家和民族。当时的他开始追随孙中山，主张民主共和，热心宣传民族民主革命。武昌起义爆发后，热血青年陶行知甚至中断学业，专门回到老家，积极参加革命。但大革命之后新政权的软弱，让陶行知有力无处使，他意识到，光靠武力，结果只能是“无量头颅无量血，可怜购得假共和”，还是老老实实回到金陵大学继续其学业。

“建立一个真正的民主国家最为根本的途径是教育而非军事，唯有教育才能改变人心，才能实现真正的正义与自由的理想。”那时的陶行知已经下定了这样的决心。

重新回到学校的陶行知比以前更刻苦，国文、英文、法文、教学等诸科成绩门门优秀，更重要的是，他积极参加各种社团活动，不仅文章写得好，也有一副好口才，在学校里成为出名的风云人物。

就是在这个时候，原名陶文濬的陶行知决定改名为“知行”，寄托自己积极入世、改造社会的想法。

为什么这样改名？源于当时民国的思想学术界极为推崇“王学”，即明代著名思想家王阳明的学说，而深受“王学”影响的陶行知，特别推崇“知之真切笃实处便是行，行之明觉精察处便是知”，把“知行合一”学说，特别是“知轻行重”的思想奉为圭臬。

陶行知不仅仅是把名字一改了事，而是积极用行动去落实。

1912 年，孙中山宣布辞去中华民国大总统职位，让位于北洋军阀袁世凯。黄兴担任南京留守，统领南方军队，陷于困境，只能靠在全国倡导“国民捐”缓解经济困难。作为金陵大学学生的陶行知也为此出力不小，他专门代表金陵大学学生自治会奔赴苏州，邀请东吴大学学生来南京联合召开“苏宁运动捐助会”，两所大学联合开运动会在当时可是新鲜事，老百姓们情绪高涨、购票踊跃，门票很快售罄。

知是行之始，行是知之成。这是陶行知一贯的作风。民国时局多变，读书不是关起门来读，而要与人民生活配合，要与国家大事配合。作为一个大学生，要家事国事天下事事事关心，敢于对时局发表自己独立的见解。当时的金陵大学因为是教会大学，只有英文版学报《金陵光》，为改变金陵大学“欧化”的倾向，在他的积极倡导下，1913 年 2 月，《金陵光》中文版正式出版。素以文笔犀利著称的陶行知代表编辑部同仁撰写了《〈金陵光〉出版之宣言》，文章一千七百余字，紧紧围绕“光”字大做文章：“对于金陵光，便怀有盛世黎民嬉游于光天化日之感，由感立志，由志生奋，由奋而扞国，而御侮，勠力而同心，使中华放大光明于世界，则金陵光之责尽，始无愧于光之名矣嘻，白帝更声尽，阳台曙色分，金陵光之第一号，即旭日东升之晓光今出矣，吾同学曷速兴起耶。”从中可以看出陶行知急切改变现状、呼唤黎明曙光的决心。

《金陵光》创刊 7 个月，陶行知就洋洋洒洒写了多篇稿子，等他毕业时，已在《金陵光》上发表了《伪君子篇》《导引新生之倡议》等 12 篇文章，他大声疾呼：“伪君子为吾国最多”，“惟今世最盛”，“真人不出，如苍生何！”号召全校同学努力学习和工作，“人人洗心革心”，“使中华放大光明于世界”。

也是从这个时候起，陶行知开始发现文字的妙用，他用文字表达心声，用文字发动民众，把文字当成一把把利剑和匕首，撕开了沉默中国的面纱，激发出国人的热情和动力。

当时的中国，也正处于风起云涌的变革之中。辛亥革命的曙光，被乌云遮蔽，权势争夺，内讧不已。一时间，报刊公开攻击共和政制的言论，进步人士的“共和万岁”与“反对共和”的声音僵持不下。

正是在这种激烈的对抗声中，陶行知精心研读共和主义的著述，写成毕业论文《共和精义》，同时把这篇论文分两期连载在《金陵光》上。在这篇洋洋八九千字的文章中，他写道：“人民贫，非教育莫与富之；人民愚，非教育莫与智之；党见，非教育不除；精忠，非教育不出。教育良，则伪领袖不期消而消，真领袖不期出而出。”

1914 年 6 月，陶行知以全校文科第一名的优异成绩从金陵大学毕业。在毕业典礼上，陶行知作为优秀毕业生代表，宣读了自己的毕业论文《共和精义》，阐述了民主共和思想，并提出：教育是建设共和最重要之手续，舍此别无他途。今日当局者的第一要务，即是对人民“施以相当之教育，而养成其为国家主人翁之资格”。参加毕业典礼并向陶行知颁授文凭的江苏省教育学会副会长黄炎培在后来的诗作中，动情地赞颂陶行知是“秀绝金陵第一声”。

金陵求学，对于陶行知来说是人生观、价值观、世界观形成的关键时期，除了在知识才干等方面有极大长进外，陶行知最重要的收获是在思想政治和人生价值方面养成了民主共和信念，他信奉自由、平等、博爱，更信奉教育才能改变中国。

东西交融　集百家长

1914 年 8 月 15 日，海涛阵阵，海鸥翩翩，尽管家中有病父弱母，刚刚成亲的妻子，但为了寻求科学、民主、自由的真谛，在亲友的资助下，陶行知还是踏上了开往美国的邮轮。作为一个出身贫寒的农家子弟，能够出洋留学实属不易。为了减轻经济负担，陶行知留学的第一站是伊利诺伊大学，专业是政治学。

在伊利诺伊大学众多课程之中，陶行知兴趣

较大的是《教育管理》，凑巧的是，任课教师柯夫曼教授是美国著名教育家、哥伦比亚大学教授杜威的学生。柯夫曼知道了陶行知的志向，就向他介绍了老师杜威的教育思想。

受此感召，1915 年 9 月，陶行知用一年时间修完伊利诺伊大学的政治学硕士，旋即转入美国进步主义教育运动的大本营——哥伦比亚大学师范学院，学习教育行政、比较教育、教育哲学、教育史、教育社会学等，指导教授有孟禄、斯特雷耶、克伯屈、杜威、斯列丁、康德尔等，都是著名的教育理论家、改革家。

与伊利诺伊大学不同，哥伦比亚大学地处纽约，消费水平可想而知，陶行知不得不靠打零工来维持生活和学习费用。像少时的半工半读一样，他发挥“王门立雪”的坚毅和执着精神，除了去餐厅打零工之外，其他时间几乎都在图书馆中度过。当时的中国留学生本就不多，这位极为刻苦的“留学生”在哥伦比亚大学顿时出了名，也打动了包括教授在内的许多人。

1916 年，在教育系主任孟禄的帮助下，陶行知申请到了利文斯顿奖学金，可以不再为生计所困，有了更多时间去研究教育。2月16日，他专门致函给师范学院院长罗素表示感谢，还在信中说出了自己的理想：“余今生之唯一目的在于经由教育而非经由军事革命创造一民主国家。鉴于我中华民国突然诞生所带来之种种严重缺陷，余深信若无真正之公共教育，真正之民国即不能存在。”①

如何实现教育救国的道路，就必须提到一个人——约翰·杜威，他是20世纪世界上最重要的教育家之一，也是对中国现代政治、社会、教育、文化等领域影响最为广泛而深远的西方思想家之一。在哥伦比亚大学求学期间，影响陶行知最大的人莫过于杜威，而在杜威看来，陶行知也是自己最好的学生。

在当时的人看来，杜威无疑是传统教育的改造者、新教育的拓荒者，他反对传统教育把教育的“重心”放在教师和教科书上的做法，反对儿童只能受到“训练”“指导和控制”以及“专制压制”，提倡从儿童的天性出发，促进儿童的个性发展。

---

①摘自《陶行知：“最中国的留学生”》，人民日报海外版2014年1月26日。

杜威关于教育的根本观点是“教育即生活”“学校即社会”，“从做中学”。在他看来，教育就是要给儿童提供保证生长或充分生活的条件。最好的教育就是从生活中学习，从经验中学习。教育的根本使命就是从智慧、情感、审美等各个方面促进人的成长。并且，教育能传递人类积累的经验，丰富人类经验的内容，增强经验指导生活和适应社会的能力，从而把社会生活维系起来、发展起来。而学校就是要让学生在学校里尽可能生动地体验将会在社会上遇到的各种层面的思想与事情，学校应该成为一个小型的社会，一个雏形的社会。

“教育即生活”“学校即社会”和“从做中学”这三句话的核心就在于“生活”与“实践”，这些观点和王阳明的“行”在某种意义上非常相似，另一方面，又大大拓展了教育实践的可能，将传统教育的受益面一下子从“家庭”拓展到“社会”，深深切中了陶行知最关心的部分，他仔细研修了杜威的名著《学校与社会》《进步社会的教育》《明日之学校》与《民主主义与教育》，意识到杜威的实用主义教育学说非常适合当时中国的情况，如果实践，必将对中国教育观念、教育思想、教育思潮和教育教学改革实践产生积极的作用。

作为杜威得意门生的陶行知，此后很重要的一部分工作就是把杜威的教育引入到中国。1919年，杜威来华访问讲学两年零两个月，陶行知更是专门撰写《介绍杜威先生的教育学说》等多篇文章，推介杜威的生平和教育学术思想。此后不久，陶行知更是身体力行，践行杜威的教育理念，他提出的“生活即教育”“社会即学校”“教、学、做合一”的思想，即是杜威“教育即生活”“学校即社会”的中国创新版本。

在美留学期间，陶行知眼界更为开阔，信仰更加坚定，他在政治上转向民主主义和自由主义，在哲学上接受了实用主义，将自己素有的东方教育哲学与现代西方教育的新观念相融合，由此形成了独具一格的教育主张。

不仅如此，在哥伦比亚大学期间，陶行知还结识了一大批中国同学，收获了许多友谊。这些同学后来分布于中国社会各界，成为他一生中重要的“朋友圈”，包括从康奈尔大学转入哥伦比亚大学的同龄同乡好友胡适，与他同年同船出国、也在哥伦比亚大学师范学院攻读硕士学位、后来帮助他一起建立幼儿园的陈鹤琴，1917年在哥伦比亚大学师范学院获教育学博士学位、后任北大校长的蒋梦麟，与陶行知同年赴美在哥伦比亚大学师范学院攻读教育学博士学位、回国后又在南京高等师范学校成为同事的郑晓沧等。[①]

这些人在回国后，或为同道，或为战友，都为中国教育史上赫赫有名的大人物，都为中国教育作出过巨大贡献，也都或多或少帮助过陶行知实现其教育理想。俗话说，“一个好汉三个帮”，这些朋友是陶行知最有力的资源。

1917年，陶行知决定回国，有意思的是，这时的陶行知还没有取得哥伦比亚大学的博士毕业证。原因是陶行知原本打算回国收集相关资料后，再参加博士论文答辩。谁知道这一去，他就开始轰轰烈烈地搞起了教育改革实验，虽然也搜集资料写了博士论文，放在办公室里。但遗憾的是，1923年12月12日晚，房间失火，3万册书籍连同

① 内容摘自《陶行知大传》，周洪宇著，人民教育出版社2016年版。

博士论文及相关资料化为灰烬。

有人曾劝陶行知再写一篇论文，但那时的陶行知所有心思都在推行平民教育运动上，他认为做点实在的教育工作比一纸学位证书更有价值，因而也就没有得到哥伦比亚大学博士学位。直到1929 年 12 月，上海圣约翰大学因为他在教育方面的贡献，授予他荣誉科学博士学位。

教学实验　开风气先

1917 年秋，古都南京，满树的梧桐叶在风中摇曳，秋意仍浓。

回国后的陶行知，没有时间和家人好好团聚，看一看老母，看一看妻儿尤其是刚刚三岁的孩子，就来到南京高等师范学校，把这里作为归国后的第一站。

说起南京高等师范学校，它是在原两江师范学堂的基础上扩建而成的，1915 年 9 月方正式开学，可算是“新学校”，刚刚成立自不必说，更难得的是课程新，学校专设国文、体育、工艺、农业、英文、教育、商业等科，其中体育专修科和工艺专修科均为国内首创。与此同时，还筹办了附属中学和小学。

这样一所“新学校”，自然要延揽新知人才加强师资建设，受校方派遣，教务主任、同是哥伦比亚大学毕业的师兄郭秉文专门赴美“物色”有志从事教育的中国留学生。郭秉文比陶行知年长11岁，是中国现代第一位教育学博士学位获得者。1915年应南京高等师范学校校长江谦的邀请，担任教务长。他多次邀请陶行知来南京高师担任教育学专任教员兼教务助理。在美期间，他几度与陶行知会谈，交换意见，两人还一道参加过留美中国学生联合会组织的讲演活动。

据陶行知的同学陈裕光回忆说，在郭秉文访美与陶行知接洽之后，陶行知的思想便发生了急剧变化，在1916年夏季，他就有“想尽早回中国协助郭秉文工作，为中国教育改革作贡献”的想法。他觉得此时的中国，需要的是行动，不是空谈；需要的是献身人才，而非文凭。[①] 从这件事情上，也能看出陶行知的性格，不看重虚名，更重视实践。

---

①摘自《陶行知与中国新教育运动》，汪楚雄，《教育研究与实验》2009年3期。

1918年3月19日，江谦因为身有疾病，无法管理校务，决定辞职，推荐郭秉文任代理校长，初来乍到的陶行知即任该校教育学专任教员兼教务助理，此后任教务主任。二人合作的6年，使南京高师成为东南地区国人创办的首屈一指的最高学府。

应南京高师之聘后，陶行知先后主讲过教育学、教育行政、教育统计等教育学系教育原理门的十门课程中的六门课程，授课对象从大一学生到大三学生。与一般留洋过来的教授大谈西方见识不同，陶行知非常注重把西方的教育理论和方法与中国社会实际相联系和结合，他特别强调“总以合于地方教育行政机关、初等学校、中等学校之用途之主”。

为了让学生了解国情，陶行知尤其重视引导学生走出课堂，对中国现时教育进行广泛的社会调查，并在此基础上发动学生进行讨论。他不止一次对学生讲，“教育一事，注重实际，若研究者但凭理论，徒托空言，施之实际，难免枘凿不入之弊。故欲得教育真相为研究之根据，调查实为最要方法之一种”，“调查而后，利弊立见，利者宣扬之，弊者改良之，于是各地教育皆可对症施药，而教育可以发达矣”，所以调查又为“改良教育的第一步”。

进学校没多久，陶行知便支持学生组织起“南京高等师范学校教育研究会”，该研究会成立后的第一件大事，就是在 1918 年初要求学生利用寒假回乡就近作教育调查统计。陶行知归国后的第一篇教育调查报告——《江苏市乡教育状况之一斑》，就是对学生们调查统计结果进行分析研究后写成的，自此以后，普通教育、社会教育、教育行政、教学方法等，都成为陶行知和学生们调查和研究的课题或内容。

没有调查就没有发言权，正是通过教育调查，陶行知意识到，现时中国教育弊端之多，然而“吾国办学十余年，形式上虽不无可观，而教育进化之根本办法，则无人过问”。为此，他极力提倡试验主义的教学法，认为“试验者，发明之利器也”，“欲教育之刷新，非实行实验方法不为功”，而这一点在师范学校尤为重要，因为“师范学校负培养改造国民的大责任，国家前途的盛衰，都在他手掌之中”。

此时的陶行知既是“新教育”的实践者，也是“新教育”的旗手。

什么是“新教育”运动，它是民国元年北京大学校长蔡元培等著名教授发起的由众多一线教师和国外教育专家积极参与，以民间教育力量为主力，以实用主义教育哲学为理论基础，以提倡和实践教育民主化、科学化、国际化和中国化为基本内容的教育改革运动。而陶行知，从回国的那一天开始就是“新教育”的主力干将。

关于“新教育”，1919 年 7 月，陶行知在浙江第一师范学校毕业生讲习会上，明确表达了自己的观点：

（一）新教育的需要

我们现在处于二十世纪新世界之中，应该造成一个新国家，这新国家就是富而强的共和国。怎样能够造成这新国家呢？固然要有好的领袖去引导平民，使他们富，使他们强，使他们和衷共济；但是虽有好的领袖，而一般平民不晓得哪个领袖是好的，哪个领袖是不好的，也是枉然。所以现在所需要的，是一种新的国民教育，拿来引导他们，造就他们，使他们晓得怎样才能做成一个共和的国民，适合于现在的世界。

（二）新教育的释义

先说“新”字是什么意思？某处人家因为要请客，一切设备家伙，都去向别家借用，用过之后就去还了。这是客来则新，客去便旧了，不得为根本的新。我们中国的教育，倘若忽而学日本，忽而学德国，忽而学法国，美国，那终究是无所适从。所以新字的第一个意义要“自新”。今日新的事，到了明日未必新；明日新的事，到了后日又未必新。即如洗澡，一定要天天洗，才能天天干净。这就是日日新的道理。所以新字的第二个意义要“常新”。又如我们听讲的新，不单是属于形式的方面，还要有精神上的新。这样才算是内外一致，不偏不倚。所以新字的第三个意义要“全新”。

（三）新教育的目的

这目的可分两项来说明：第一对于天然界，要使学生有利用职权的能力。例如，我们要使光线入室不须空气的时候，就要用玻璃窗。照这样把所有一切光、电、水、空气等都要被我们操纵指挥。现在中国和外国物质文明的高下，都从这利用天然界能力的强弱上分别出来的。然而其中也有危险的地方，如造出许多杀人的物扰乱世界，是万万不可的。所以第二项目的，是对于群界要讲求共和主义，使人人都能自由守着自己的本分去做各种事业。一方面利用天然界，一方面谋共同幸福。可说一句，新教育的目的，要养成这种能力，再概括说起来，就是要养成“自主”“自立”和“自动”的共和国民。自主就是既要做天然界之主，又要做群界之主。

如何培养“自主”“自立”和“自动”的共和国民，陶行知开展了许多教学实验，而第一个改革实验，就是用“教学法”取替“教授法”。

为什么这样，据陶行知自己回忆，“自回国以后，看见国内学校里先生只管教，学生只管受教的情形，就认定有改革之必要。这种情形以大学为最坏。导师叫作教授，大家以被称为教授为荣。他的方法叫作教授法，他好像拿知识来赈济人的。我当时主张以教学法来代替教授法，在南京高等师范学校教务会议席上辩论两小时，不能通过，我也因此不接受教育专修科主任名义”“先生好像是书架子、字纸篓的制造家，学校好像书架子、字纸篓的制造工厂”。

教授法改为教学法，看似一字之变，但其实是教育思想上的一大转变。这样的“变革”在当时可谓是平地一声惊雷，即便是学校内部也是反对意见重重，包括学监主任陈容在内的许多教授都认为此举纯属是“哗众取宠”“标新立异”。但陶行知据理力争：“好的先生不是教书，不是教学生，乃是教学生学，而教的法子也必须根据学的法子，就是把教和学联系起来，即要教学合一。”

虽然提案仍未通过，但陶行知没有灰心，为了进一步阐明这种以学生为中心的教学法，并借以批判传统教学法“重教太过”“教学分离”的流弊，他再次以笔作武器，在《新教育》上接连发表了《试验主义与新教育》《试验教育的实施》《教学合一》等多篇文章，猛烈地批判旧教育的五旧：依赖天工、沿袭陈法、率任己意、仪型他国、偶尔尝试，提出真试验必“有计划，有方法，视阻力为当然，失败为难免，具百折不回之气概，再接再厉之精神。成败虽未可必，然世界实由此而进步，教育亦由此而进步”，阐明了“先生的责任在教学生学”等“教学合一”的新教学理论。为了使自己的教学改革得以推行，他甚至自编教学法讲义，明确提出“人师之责，不在教学生，而在教学生学”。

陶行知的改革主张逐渐得到了教育界有识者的响应，苏州师范学校首先赞成并采用了教学法。此后五四运动爆发，南京高等师范学校的人也没工夫再理会教学改革一事，陶行知趁机把全部课程的教授法一律改为教学法。随后，“教学法”之称，为当时教育界普遍接受，陶行知本人也因这种教学法的提出，而成为“实现教学合一的起源”，逐渐形成了“教学做合一”的理论。

继教学方法改革之后，陶行知还对南京高等师范学校的课程安排实行改革，他以学生为中心，从有利于学生个性自由发展的原则出发，将全校课程改为“选科制”，规定学生所习课程，一部分为必修，一部分为任选，“一科之学生可以选择他科之学程”，无论“身体和精神，要全体顾到，不可偏于一面”，学生成绩以学分计算。由此，创始于 19 世纪 70 年代的美国高校的“选科制”，在陶行知的倡导下，走入中国的高校。

无论是用“教学法”取替“教授法”，还是把选课的权利还给学生，都是陶行知坚持民主原则的一种表现。他坚信，民主教育有赖于共和政治，中国教育缺乏民主，集中反映在人民不能享有平等的教育权。为了改变这一状况，这个别人眼中的狂人又做了一次震惊四野的变革——大力倡导女子教育，男女同校。

彼时的中国，除了个别私立大学、教会大学外，大都只招男生而不招女生，教育史上称此现象为“女禁”。1919 年 12 月 17 日，陶行知在校务会议上提出《规定女子旁听办法案》，提出南高师的“各科功课，有宜女子旁听者，可否通融办理，容其旁听，遂其志愿”，并提出具体办法。

男女同校？这在当时无异于天方夜谭，当时保守的人都斥之为洪水猛兽，男女同学在一个地方学习，可是会出大乱子的。

但扛着重重压力，南京高等师范学校在全国高教领域率先作出了男女同校的创举。1920 年春季学期应北京大学之约，开始招收女子旁听生。但陶行知并不满足于仅招收“旁听生”，他明确表示“学生有应试资格来校应试者，苟能及格，不论男女均可录取”。

在陶行知的极力督促下，1920 年 4 月 7 日，南京高等师范学校校务会决定自1920年暑假正式招收女生。虽然北京大学早在1920年2月就招收了2名女学生，却只是把她们作为旁听生。而南京高等师范学校当年暑假录取的张佩英、李今英等8名女生，完全是按照与男生同样的标准录取的，不仅如此，还招收了50位旁听生。从这个意义上说，南京高等师范学校甚至走在了最早提议“男女同校”的北京大学的前面，开女子高等教育之先河。这是中国近代教育史上的一件大事情，南京高等师范学校也成为中国人自己办的高校中第一个招收女生的高校。此后的反对声浪依然很高，为了使整个社会认识到女子教育的重要性与必要性，陶行知不断撰文，阐明实施女子教育的价值和意义，他在《教育者的机会与责任》中提出，中国现在受教育有三桩不平均的地方：一是女子教育；二是乡村教育；三是老人教育，而女子教育在中国最不被重视。

“中国全国有一千三百余县没有女子高等小学，又有五百余县没有一个女学生。若照百分法计算起来，男学生占学生中百分之九十五，女子却只占百分之五；以家庭论，一百个家庭，只有五个是男女同受教育……所以为家庭幸福计，男女都应受同等的教育。”

陶行知认为，女子接受教育，既掌握了知识技能“去谋独立生活”，又成为“读书明理之人”，觉悟到人生的社会意义，能与男子一道“去共同担负社会的责任”，则中国的国力就会比现在增强一倍，因此女子教育又是促进国家强盛的重要条件。

他曾经专门在给朋友胡自华写的信中提道：“中国二万万女子恐怕就有一万万九千万没有受过教育。要把他们都成为读书明理的人，就要提倡女子平民教育。”

作为推动女子平民教育的先驱者，陶行知还与人联合发起筹立中华女子教育促进会，在开展平民教育运动时“专办女子平民学校”，到乡村教育时期又多办“夫妻学校”，在晓庄师范学校，石破天惊地招来女学生，再到后来，发明“小先生制”来解放大批的文盲女性……

短短的几年，在南京高等师范学校，陶行知掀起了巨大的改革波澜，透视其种种改革，能够清晰地看到陶行知与五四时期民主与科学思想潮流之间的互相呼应。其中以受教育者为中心的“教学法”取代以施教者为本位的“教授法”，在高校率先实现“男女同校”，可以看作他尊重学生个性、以学生为本的民主教育的初步尝试。

不仅如此，陶行知在老家也掀起了不小的浪潮。1921 年 8 月，为了改变安徽教育落后混乱的状况，陶行知联合胡适、梅光迪、蔡晓舟等安徽籍人士，公开发表《根本改造安徽省教育会宣言》，力主用民主、合议、分权的委员制，取代武断官僚式的会长制。

陶行知推动这些改革，除了面对巨大的社会阻力外，还顶着强大的内部压力，比如在南京高等师范学校的改革就遭到了以开明著称的前任校长江谦和校董、著名教育实业家张謇等人的激烈反对，虽然当时的陶行知不过是一个 20 多岁的年轻小伙子，但他还是顶住了压力进行改革，其开拓精神与改革勇气的确有过人之处。正如其在文章《第一流的教育家》里提到的，今日的教育家应该“敢探未发明的新理”，“敢入未开化的边疆”，敢探未发明的新理，即是创造精神，敢入未开化的边疆，即是开辟精神。

“创造时，目光要深；开辟时，目光要远。总体来说，创造开辟都要有胆量。在教育界有胆量创造的人即是创造的教育家，有胆量开辟的人即是开辟的教育家，都是第一流的人物。大丈夫不能舍身试验室，亦当埋骨边疆尘，岂宜随便过去!”陶行知不仅是这么说的，也是这么做的。

“新教育”鼓手　成立改进社

1921年底，陶行知成为《新教育》主编，还借美国教授孟禄访华之机会，联络教育同仁成立了中华教育改进社。中华教育改进社的诞生，是“新教育运动”高潮期到来的标志。作为改进社主任干事的陶行知，此后便成为“新教育运动”的领导者。

陶行知为中华教育改进社确定了八点《办公原则》：唯事的，非唯人的；科学的，非墨守成规的；效率的，非浪费精力与时间的；教育的、进步的，非保守的、倒退的；美术的，办公室布置适宜，文件柜整洁；卫生的，设备合于卫生，工间宜略休息；兴趣的，办公事有兴趣，能增加工作效率；互助的，开诚布公，合作互助。

可以说，陶行知走到哪里，就把民主作风带到哪里。在他的带动下，中华教育改进社与当时的官僚办事衙门有了明显区分，在这里，大家不分阶级，而是同事同伴，为推动教育做了不少实事。

在中华教育改进社成立前后，正值中国新学制的培育期。发展新教育必然要改革科举制度。1904 年 1 月，清政府正式颁布中国第一个近代学制“癸卯学制”，其是中国正式实施的第一个近代学制，但有许多弊端，比如延续时间过长，总计 30 年之久；从课程设置看，传统的中国经学教育内容仍占很大比重；从学校设置看，按地方行政级别规定办学级别，套用了传统的办学体制等。

如何改革学制，当时各种说法都有，有说要仿效欧美的，有说向近邻日本学习的，这都不是正确的倾向，在陶行知看来，学来学去，总是“三不像”。1922 年 1 月，他在《中国建设新学制的历史》中提出，应当以科学的方法和态度，考察社会需要、个人能力、基础准备，制定一个适用的学制。对于外国的经验，则根据它适于中国的国情与否来取舍。这样“才能制成独创学制——适合国情、适合个性、适合事业学问需求的学制”。从这个原则出发，陶行知创建了适合中国国情的多轨学制，发表了《我们对于新学制草案应持之态度》，指出学制制定原则是：“虚心讨论，研究，实验，以构成面面顾到之学制。”“去与取，只问适不适，不问新和旧。”

为此，改进社成立后，陶行知主持的第一项大工程，就是进行全国性教育调查统计。调查工作从 1922 年 5 月持续到 1923 年 4 月，最后形成《中国之教育统计》，制成 56 种表格，编辑成书。该书连同梁启超、胡适、黄炎培等 20 多位专家撰写的 25 种材料，成为中国参加世界教育会联合会成立大会的主体资料。向世界充分展示了中国新教育的成就。其中一件大事就是，1922 年秋邀请美国心理学家麦柯尔来华讲学，帮助中国教育界拟行科学的智力与教育测验计划，训练相关的人才。①

此前中国虽然在教育学理论或实践中或多或少引入了标准化测验，但整体水平既没有形成规

① 引自《陶行知与中国新教育运动》，汪楚雄，《教育研究与实验》2009 年第 3 期。

模，也不是很科学，而借助“外援”麦柯尔，显然有益于改变现状。1922年9月，陶行知分别在南京和北京邀约南京高等师范学校和北京大学、北京高师的有关学者，与麦柯尔共商智力与教育测验的实施计划，合作拟订了20套中小学标准化教育测验。1923年上半年，麦柯尔来到北京，在华期间，麦柯尔撰写了《中国教育的科学测量》，向改进社年会作了《教育心理测量》的演讲，训练了两期研究生，与各地教育心理专家合作完成了包括TBCF制在内的50多种测验，测验结果的出版、发行及其版权，由改进社统一掌管。①

有人认为，“这种大规模的制造测验是各国所罕见，可以说是全世界的破天荒”。可以说，在改进社主持下，中国的教育研究者们第一次取得了教育心理测验方面的长足进展。

这可不是陶行知第一次以组织的名义借助外力来推动改革，他很擅长用“团体之力”“外国专家”来推行中国教育改进事业的进一步发展。

比如，1915年5月，陶行知聘请杜威到南高

① 引自《陶行知与中华教育改进社》，杨莲，《南京晓庄学院学报》，2008。

师讲学，次年 4 月又邀请杜威来南高师讲授《教育哲学》《哲学史》《实验伦理学》，由此促成杜威哲学和教育思想在中国迅速传播。

比如，1921 年夏，陶行知与蔡元培、张伯苓等在北京组织实际教育调查社，聘请哥伦比亚大学教授孟禄来华进行为期 4 个月的教育调查。陶行知同孟禄等人到全国部分省市进行调查，还同胡适一起编辑《孟禄的中国教育讨论》，以西方民主观点对中国传统文化教育进行了比较全面的审视和反思，而孟禄提出的“重视师范教育”的观点对陶行知影响甚大。此后，在孟禄的推荐下，才有了麦柯尔来到中国，推动了中国教育测验运动，使南京高师成为中国教育与心理测验的中心，同时也把美国实用主义教育工具的统计法移植到中国。

比如，1925 年 7 月，陶行知邀请“道尔顿制”创始人柏克赫司特女士到上海，参加改进社年会，宣讲个中精髓，破解国内学者在借鉴学习“道尔顿制”时的困难与瓶颈，希望中国也能发明自己的“道尔顿制”。

有人这样统计过，陶行知推介并评价了杜威、福禄培尔、桑戴克、裴司塔洛齐、赫尔巴特、蒙台梭利、孟禄、推士、德满尔、麦柯尔、柏克赫司特、柏格罗等 17 位外国教育家的教育试验成果，评价了外国儿童作业室教学法、道尔顿制、设计教学法和普鲁士教育改革的经验……而这些成果都是当时最先进、最顶尖的教育教学理论和成果。

伴随着国外先进科学成果的引进，“新教育”运动的推进，改进社成为当时中国最有影响和最有力量的民间教育团体。据史料记载，1922 年底，已有机关社员 119 人，个人社员 479 人。这些社员又相对集中在教育比较发达的省份，能从教育第一线迅速反映中国新教育运动的前沿情况，发现新问题，探求新方向。改进社的议案关注的范围比较广，凡是当年的热点如平民教育，女子教育，乡村教育等，都是可以“立案”的议题，正如改进社当初的宗旨“教育界没有人做的事，本社即努力去做”。

因为努力去做，所以成果丰硕。尽管此后的“新教育”运动因为抗战原因，仅仅坚持了 20 年时间，却培养出陈省身、赵九章、王淦昌等一大批优秀人才，创出了一个个伟大的奇迹。

因为对教育满怀信心，此时的陶行知充满了锐意改革和创新的信心，正像他所创作的《放爆竹》诗一样，充满了做事的劲头儿：

一个个的放，一声声的闹。
它把新的惊起，把旧的吓跑。
放，放，放，
放到旧的不敢再来到。
放，放，放，不住的放，
放到新的不会再睡觉。

第二章
到乡村去　为了大众的教育

创办平民校　掀起新风潮

1919 年，五四运动爆发，知识分子们越来越意识到，只有人民觉悟了，救国才有希望。蔡元培、陈独秀这些五四运动的先驱们都在大声疾呼，教育当启迪人民觉醒，发展人民身心。

1919 年初，应胡适、郭秉文的邀请，杜威访华，帮助中国建设“新教育”。谁也没有想到，在中国面临“新”与“旧”思想撞击的关键时刻，一位外国教授如此“吃香”。此后两年多的时间里，杜威南下北上，在中国各地巡回演讲，足迹遍及上海、浙江、北京等十几个省市，演讲频次 200 余场，在中国大地掀起前所未有的热潮，所到之处，听讲者爆满。就在五四运动爆发前的5月2日、3日，杜威在上海的江苏教育会会场演讲《平民主义之教育》时，竟然有1000多人冒雨赶来，“座为之满，后来者咸环立两旁”。

而五四运动的爆发，促使杜威在中国逗留了整整26个月，民主思想的传播、新文化运动的兴起，促成了当时前所未有的“杜威热”。

杜威在历次讲演中，都会提到对教育尤其是平民教育的建议：“世界各国，无论其为专制、为共和，必以普及教育为要图”，“因为共和国者，则必须实行平民之政治；欲实行平民之政治，非有平民主义之教育不可”，平民教育就是“把教育事业，为全体人民着想，为组织社会各个的分子着想，使得它成为利便平民的教育，不成为少数贵族阶级或者有特殊事例的人的教育”。

当时，几乎所有的报纸杂志都在报道杜威的行程、杜威的演讲录、杜威的学说，各级各类学校大力试验杜威的教育学说。这种热潮的兴起开始启发中国的教育者们以前所未有的热情反对封建专制，呼吁人人平等自由，人人都是平民和劳动者，共同促成了平民教育运动的产生与发展。

陶行知，就是这其中最有力的呼吁者，他在《晨报副刊》发表《平民读书处之经验》一文说，中国现在读书的人，实在太少，“依人曾经调查，全国能识字的，只有八千万人”，而一个国家富强的根本在于国民的整体素质。提高国民素质，使百姓成为真正的国民的一大关键就是普及平民教育。

“教育，难道只是有钱人才能享受的奢侈品?”联想起自己的出身，陶行知对农民的贫苦生活和受教育状况有深刻的感受，心里非常痛楚。虽然现在的他已经是留美人士，但他从来都把自己当作一个普通的中国平民，1923 年 11 月 12 日，他在家信中写道：“我本来是一个中国的平民。无奈十几年的学校生活渐渐地把我向外国的贵族的方向转移。学校生活对于我的修养固有不可磨灭的益处，但是这种外国的贵族的风尚，却是很大的缺点。好在我的中国性、平民性是很丰富的，我的同事都说我是一个‘最中国的’留学生。经过一番觉悟，我就像黄河决了堤，向那中国的平民的路上奔流回来了。”

而暑期学校可算是陶行知推行“平民教育”

的第一个尝试。

1920年夏，第一个暑期学校在南高师成立了，面向的对象主要是在各类学校从事教学和管理工作的人士以及私塾先生，还有社会上准备报考大学的男女高中毕业生。暑期学校的教师阵容可谓强大，除本校教师外，还广泛聘请社会名流讲授，比如梁启超、蔡元培、蒋梦麟、竺可桢、黄炎培、朱经农等，还有杜威教授。

南高师的暑期学校带动了其他高校举办暑期学校的热潮，几年时间里暑期学校盛况空前，为普及新文化运动的成果起到了积极作用。而在全国各地的暑期学校中，南高师开办的暑期学校的规模和影响之大，持续时间之长，师资阵容之强，办学效果之好，当属首屈一指。

事实上，当时不止陶行知一人推行平民教育，这里不得不提的另一位“平民教育”的主力，就是晏阳初。

同样是20世纪著名教育家的晏阳初从耶鲁大学毕业后，就开始践行自己的理想，推动以普及识字为基本内容的平民教育运动，号召“除文盲、做新民”。

1922年3月，晏阳初转到湖南长沙组织平民教育讨论会，发动400名小学教师宣传平民教育；又筹资组建200多所平民学校，风头甚健，青年毛泽东也曾经作为义务教员参与过当地的平民教育运动。

有了在长沙的平民教育运动第一次大规模实验后，晏阳初又来到了浙江嘉兴，发明了幻灯教学法，第一次月考，来参加考试的平民学生们全都是高分。1923年5月，陶行知专程参观了晏阳初在嘉兴办的平民教育试验，两位教育家有了第一次握手的机会，当时和陶行知一起参观的还有热心于教育和慈善事业的前国务总理熊希龄夫人朱其慧。

1923年6月，为推动平民教育的发展，陶行知与朱其慧邀集晏阳初、黄炎培、胡适、袁观澜等人，发起组织“中华平民教育促进会筹备会”。陶行知、晏阳初等人推朱其慧为筹备会主任。当年8月26日，筹备会在北京召开了“第一次全国平民教育大会”，并发表了《中华平民教育促进会宣言》。平教会宣言称“一个共和国的基础，稳固不稳固全看国民有知识没有，国民如果受过相当教育，能够和衷共济，努力为国家负责，国基一定稳固”。平教会总会设在北京，并陆续在全国 20 多个省区设立分会，开办平民学校。朱其慧任董事长，陶行知任董事部书记，晏阳初为总干事。自此，一个由上而下，有组织、有计划、大规模的平民教育运动在全国兴起了。

陶行知为平民教育四处疾呼，他说：“平民教育是关系到国家强弱的问题，全国人民应该同心努力办好它。今百人中不识字的约有百分之七八十。现推行平民教育运动，为平民教育运动之第一步，非少数人都能做到，必须统力合作，效果放大。”

除了发起成立总会，1923 年 6 月，陶行知还与朱其慧、蒋维乔、王伯秋等人在南京发起成立“南京平民教育促进会”，筹募经费 15000 元，在南京创办了 3 所实验平民学校。这 3 所学校成了平民教育的“活招牌”，尤其是其中的实验女校，女生们只上了一个多月的课，就能唱起赵元任作词作曲的《尽力中华歌》。一传十，十传百，到了 8 月 5 日，平民学校已经开到 11 所、学生千余人。到了 12 月，平民学校达到 126 所、学生超过 5000

人。为此有人专门把平民学校拍成了教学影片，震动全国，前来观摩者络绎不绝。

看到形势喜人，陶行知与南京教育当局商讨决定，每一区立学校负责开办一所以上的平民学校，到了12月22日，江苏60多个县更是全部响应，纷纷开办平民学校。一时间，南京成为平民学员最多的城市，学员人数占到总人口的1/4。①

江苏的平民教育发展起来了，陶行知开始把工作重心放在北京，经常在北京、南京两地游走。他渐觉精力难于支持，所以多次请求辞去东南大学教育科主任，教育系主任职，校方只得无奈同意了他的辞职要求。

当时的大学教授薪水不可谓不高，但陶行知就是一门心思想着平民，即使是月薪400银圆的职位，也毫不可惜。就这样，陶行知举家迁到北京，将全部精力用于宣传、推广平民教育。

推广平民教育，教材是当务之急，没有课本怎么办？陶行知身体力行，率先承担起编写教材的重任。他与晏阳初、北京大学教授朱经农合作，

---

①引自《陶行知与南京平民教育运动》，于飞、于日良，《江苏地方志》2006年第5期。

编写平民教育课本《平民千字课》四册，据陶行知自己说，编书的大目标有四：（一）自主的精神；（二）互助的精神；（三）涵养的精神；（四）改进的精神。全书九十六课，用九十六天，每天一个钟点就可以教完。方针是要求其易懂而有趣味，使老百姓读了第一课就想读第二课。

当时，学校使用的教科书很少以现实生活作基础的，其通病是以文字作中心，空空洞洞毫无内容，缺乏实用性，且相互抄袭，毫无新意。比方甲家书馆的教科书是“小小猪，快快跑，小小猪，快快跑”，乙家书馆是“小小猪，小小猪。快快跑，快快跑”。在陶行知看来，以文字为中心而忽略生活的教科书，好比是有纤维而无维他命（维生素）之菜蔬，吃了不能滋养身体。

而陶行知所主编的这套教材即使在今天看来，也可以用卓越来形容，它与旧式的《三字经》《百家姓》识字课本有着本质不同，图文并茂，通俗易懂，融思想性、知识性、趣味性于一体，很受当时老百姓的欢迎，一经出版就销售一空。1924年底，能读懂《平民千字课》的民众已经有50多万人，可见教材的影响力。

不仅如此，陶行知还把编教材的稿费全部捐了，结果承担着所有家务的妹妹文渼看见了，急了：“家里有老有小，钱也不多，能不能留一点给家里用？”但陶行知不仅没有答应，反而还劝文渼支持自己办学。最终，文渼理解了陶行知，还亲自出马，帮助其负责试验女子学校的工作。

可以说，在推广平民教育上，陶行知是抱着“我不入地狱，谁入地狱”的精神的，商店、家庭、旅馆甚至军队、工厂、寺庙、监狱都留下了他的足迹。1923 年 11 月上旬，江西省政府邀请陶行知讲演，陶行知在会见江西省督时，特别建议由省长下令省委行政署内，凡不识字的人都要限期读书。他甚至来到了南昌监狱，对 400 余名囚犯演讲，推广平民教育。

对女子师范学校学生讲女子领袖对平民教育之使命，对警察谈警察与平民教育的关系，对私塾先生谈私塾与平民教育，对和尚讲演平民教育与宗教……陶行知还热心向胡适、郭秉文、郑晓沧等多位大学教授以及他们的夫人，他所熟悉或不熟悉的人写信推广，附寄《平民千字课》，并动员梁启超、胡适、熊希龄等民国大腕也参与这项运动。

有一天，陶行知到北大代理校长蒋梦麟家动员平民教育，蒋梦麟因为公事繁忙，面露难色，陶行知便故意问："中国最高学府，北京大学校长家里可以容得不识字的人吗?"蒋笑笑说："那倒是，应该都要识字的。"陶说："既要识字，就要干。你如果没时间，我来替你训练助教，就是老兄得下一声命令：'从今天起，家里的人不识字的都要读书，识字的都要教书。'我就有办法。"

就这样，蒋梦麟家有了"三径平民读书处"，家里的用人、车夫都开始识起了字。陶行知动员熊希龄在公馆办了"平民读书处"，胡适家开办了"望祖平民读书处"，梁启超在北海松坡图书馆开办了"松坡平民读书处"，陶行知自己也在北京住处办起了"笑山平民读书处"。一个月内，北京成立了 100 多处"平民读书处"。

为什么在家里设置"平民读书处"？原因很简单，这些名人、大教授的家属、仆役、邻居因事务忙，可能去不了平民学校学习，但可以就近到"读书处"读书识字学文化。

谁在"平民读书处"当老师？同样难不倒陶

行知。他发明了“连环教学法”：识字的可以教不识字的；学完一课，教别人一课。这个方法来源于陶行知自己的切身体会：8岁的儿子陶宏读书时，5岁的弟弟非要哥哥陶宏教他读。陶宏读一课，就教弟弟一课，这样一来，弟弟居然跟着哥哥很快学会了一册课本。这种“连环教学法”来源于实践，不仅解决了师范生教员不足的困难，还能把平民教育推广到每一户家庭去。

朋友、儿子齐动员还不算，陶行知还写信回家，希望老母亲也能参加自己的教育实验，也能读书认字，课本就是他编的4册《平民千字课》，老师就是妹妹陶文渼，为此他专门写信回家，说了三个理由：“一来当作娱老之法，二来可以有提倡之效，三来知行写信，母亲自己也会看了，岂不好吗？”

母亲曹翠仂非常支持陶行知，据陶行知的长子陶宏回忆说：“奶奶读得非常有兴趣，也非常用功，一闲下来就读。我还记得她的书本是放在梳妆盒里的。她一不懂就问我们，同时她也在做‘即知即传’的工作，鼓励用人们也读书，并且还会教他们读书。”

陶行知听说了母亲的情况，非常高兴，还专门依据已学过的千字课中的生字写了一封信寄给母亲。当他听说，学了十六天的母亲居然毫无差错地读了出来，更是高兴得不得了，专门题诗一首《慈母读书图》。

（一）吾母五十七，发奋读书籍；十年到于今，工学无虚日。

（二）小桃方六岁，略识的和之；不曾进师范，已会为人师。

（三）祖母做学生，孙儿做先生；天翻地覆了，不复辨师生。

（四）三桃凑热闹，两眼呆望着；望得很高兴，祖孙竟同学。

（五）上课十六天，儿子来一信；老人看得懂，欢乐宁有尽。

（六）匆匆六个月，毕业无文凭；日新又日新，苦口做新民。

（七）病发前一夜，母对高妈说：你比我年轻，求学心要决。

（八）子孙须牢记：即知即传人！若作守知奴，不算中国人。

陶行知对平民教育如此付出，也有人劝他不必如此拼命，但他丝毫不以为意，反而兴致勃勃，他在给文渼的信中写道："最近一星期来，我脚迹所到的地方就是平民教育所到的地方。店里、家里、旅馆里、饭馆里、学堂里、私塾里，甚至和尚庙里，我都去劝过平民教育，并且很有效验，很有乐趣。这许多地方我都要亲自带学生去试验。照这样下去我可以一面干一面研究出好的方法来。空中造楼阁是没有用的。我也很希望你约集同志在北京这样干。"

此后，他又写信给文渼，阐明自己的决心："我要用四通八达的教育来创造一个四通八达的社会。如开办暑期学校，提倡职员学生之互助，提倡男女同学，服务中华教育改进社，都是实行这个目的，但是大规模的实行无过于平民教育。"

有如此大的热情和决心，陶行知的理想有了初步效果。

江苏首先捐助巨款开展南京平民教育的试验；

安徽教育厅厅长下令，不跟陶行知学《平民千字课》者不得在本厅干事，省公署卫队、公役都要接受《平民千字课》教育；

安徽芜湖道尹通令皖南23县，派人在城门口拿四册《平民千字课》检查入城者，不会读则罚缴铜板，再次不会读，则重罚；

内蒙古平民教育先锋队奔赴草原给牧民上课；

湖北武昌警察总署及分区共设置29处平民读书处，凡是不识字的警察、公役一律要求必须读书，不愿读书的一律开除；

安庆、南昌、武昌、汉口等地的监狱里兴起了教《平民千字课》的风潮，出现了识字的犯人教不识字犯人的景象；

更夸张的是，南京有50多位说书人，在说书的时候，把读书的好处，夹在说书当中劝导听者，编成“道情”，每逢三、六、九的日子，在全城的茶楼演讲读书的重要。

……

当然，在平民教育的推广中，难免会遇到各种各样的猜疑，陶行知就用自己的试验证明平民教育可行。他说：“我做了些小小的试验，我在江裕轮船上找了一个四川茶房戴永，教三个别的茶房；在菱湖公园找了三个识字的人教六个别的不识字的人。这事证明：（1）随时随地随人可以办平民教育；（2）有一分力量做一分事，就有一分效果；（3）社会对于平民教育，只要我们使它谅解，是没有不万众一心去提倡的；（4）门不敲不开，最后胜利都由奋斗得来。”

就这样一个一个地做起，仅仅一年的时间，全国有 20 多个省市开办了平民学校或平民读书处，所需的《平民千字课》由督军署翻印免费供给，发行量超过了 300 万册，让成千上万的平民受到了教育。

不仅如此，这个平民教育运动的发起者，还特别看重舆论的重要性，创办了平民周刊，强调了平民周刊要为平民说话。

1924 年 10 月 7 日，为了总结平民教育一年来推行的情况，陶行知特别撰写了《平民教育概论》一文：“我们要认清平民教育的宗旨，不但要使平民能认一千字，可以看报、记账、写信，而且要使平民略具民主国家必需的知识而可做个中华民国的国民，爱护中华民国。”在他看来，“普及平民教育决定着国家的强大，如果使占人口的 85% 的文盲都能认识千字，就可使国民精神振作起来”。

陶行知的做法不仅赢得了平民的认可，也极

大地影响了党的一代领导人。

1924 年，恽代英撰文赞赏陶行知：“我以为最好的农村运动，仍是平民教育。”他又写信给毛泽东：“我们也可以学习陶行知，到乡村去搞一搞。”

周恩来在《学习毛泽东》一文中讲道：“‘五四’以后，毛主席参加了革命运动，就先在城市专心致志地搞工人运动。那时陶行知先生提倡乡村运动。”

而推行平民教育的这几年，陶行知的足迹踏遍祖国的大江南北，却连过年都没有什么时间陪伴家人。他曾有一首《车上过年》的小诗描绘了他这一时期的匆忙与艰辛：上车过旧年，下车过新年。年年车上过，也算是过年。

20 世纪初的中国是革命的年代，越是激情的口号越能赢得瞩目。但像陶行知这样怀着“教育救国”的理想信念，脑子里装着民众的疾苦，既能振臂疾呼演讲，又能带着《平民千字课》，一头扎到最底层干事的人，是少而又少的，更是难能可贵的。

调转方向　到乡村去

就在陶行知准备大干一场的时候，时局却有

了新变化。当时的中国连年军阀混战，社会积弊丛生。进入 1926 年后，各种矛盾冲突到了一触即发的边缘。1926 年 3 月 18 日，段祺瑞执政府制造了著名的“三・一八”惨案，那天成为“民国以来最黑暗的一天”，舆论更是为之哗然。

“三・一八”之后，陶行知义愤填膺地发表《哀辞》，悼念惨案中死难的政府眼中的“暴徒”，痛指政府“杀人如虎”。但当时的段祺瑞执政府已经内定了黑名单，打算对文教界进步人士加以捕杀，更重要的是，中华教育改进社也因为经济拮据而陷入困境。

如何在山穷水尽的时候，为中国教育找出一条生路？教育该往哪里去？陶行知想到了广袤而贫瘠的乡村，那也是他出生和成长的地方，他比任何人都了解，这片土地急需教育的滋养。

也正是在此时，他与晏阳初有了不同的想法。晏阳初仍在城市孜孜以求平民教育，但陶行知则先一步看到中国教育问题更严重，更深刻的一面——乡村。

其实早在 1924 年，陶行知就认识到单靠平民教育救中国可能“此路不通”。尽管当时平民教育轰轰烈烈，但大多在城市里进行，在占中国大部分比例的乡村，平民教育还是个稀有名词。他在给朋友朱经农的信中写道："行知自从亲自到民间去打了几个滚，觉得我们有好多主观的意见都是错误的，没有效验的。"

1925年，陶行知参加了乡村教育研讨会成立大会，发表了"先试办小学，再试办乡村师范学校"的演讲，接着于1926年1月在《新教育评论》上发表《师范教育下乡运动》，他在文章里提道："中国的师范学校多半设在城里，对于农村儿童的需要苦于不能适应。城居的师范生平日娇养惯了，自然不愿到乡间去的。就是乡下招来的师范生，经过几年的城市化，也不愿回乡服务了。所以师范学校虽多，乡村学校的教员依然缺乏。做教员的大有城里没人请才到乡下去之势。这种教员安能久于其职，又安能胜乡村领袖之重任呢？"

"中国教育的出路与生路乃在于乡村教育与乡村社会的重建。"陶行知提出了这样振聋发聩的建议。在他看来，乡村学校直接关系到农民切身的生活质量，"办得好，能叫农民上天堂；办得不好，能叫农民下地狱"。

现实也的确如此，“仓廪实而知礼节，衣食足而知荣辱”，农民饱受战乱之苦，连温饱都不能，更想不到求学了；当政者只知在农村实施苛捐杂税，不管农民死活，更不要说让农民上学学东西。中国当时农民的 90％以上被剥夺了受教育权利。“中国以农立国，十有八九住在乡下。平民教育是到民间去的运动，就是到乡下去的运动。”陶行知决定改变平民教育方向，到乡下去！如果平民教育不能深入到中国广大农村去，那是没有前途的。而发展乡村教育，办好乡村师范是当务之急。

为了改造乡村生活，陶行知决定自己先下乡探路。1926 年春，中华教育改进社下设乡村教育研究部，陶行知聘请东南大学乡村教育教授赵叔愚、金陵大学农学教授兼农场主人邵仲香为研究员，调查乡村学校现状，筹办试验乡村师范。

在参观了江陵师范学校后，1926 年 12 月 3 日，陶行知在《新教育评论》第三卷第一期上发表了《中国师范教育建设论》，文章提出，教什么？怎样教？教谁？谁教？这是师范学校的几个基本问题。要想把师范学校办得好，必须把这些问题先弄明白。他又说，有生活力的国民是要靠着有生活力的教师培养的，有生活力的教师又是要靠着有生活力的师范学校训练的。中国今日教育最急切的问题是旧师范教育之如何改造，新师范教育之如何建设。国家所托命之师范教育是决不容我们轻松放过的。

在与赵叔愚、邵仲香等开始了系列调查后，在调研了沪宁路沿线乡村学校现状，考察了一些办得较好的乡村小学后，1926 年，陶行知以中华教育改进社名义在栖霞区明陵小学召开乡村教育研究会，并在会上发表了《我们的信条》，提出了著名的乡村教师十八条原则：

我们深信教育是国家万年根本大计。

我们深信生活是教育的中心。

我们深信健康是生活的出发点，也就是教育的出发点。

我们深信教育应当培植生活力，使学生向上长。

我们深信教育应当把环境的阻力化为助力。

我们深信教法学法做法合一。

我们深信师生共生活、共甘苦，为最好的教育。

我们深信教师应当以身作则。

我们深信教师必须学而不厌，才能诲人不倦。

我们深信教师应当运用困难，以发展思想及奋斗精神。

我们深信教师应当做人民的朋友。

我们深信乡村学校应当做改造乡村生活的中心。

我们深信乡村教师应当做改造乡村生活的灵魂。

我们深信乡村教师必须有农夫的身手，科学的头脑，改造社会的精神。

我们深信乡村教师应当用科学的方法去征服自然，美术的观念去改造社会。

我们深信乡村教师要用最少的经费办理最好的教育。

我们深信最高尚的精神是人生无价之宝，非金钱所能买得来，就不必靠金钱而后振作，尤不可因钱少而推诿。

我们深信如果全国教师对于儿童教育都有“鞠躬尽瘁，死而后已”的决心，必能为我们民族创造一个伟大的新生命。

紧接着，1926 年 12 月 3 日，虽然已经风雨飘摇，但中华教育改进社坚持在南京郊区明陵小学召开第一次乡村教育联合研究会，并发布《改造全国乡村教育宣言书》，发出宏伟的目标，“要筹募一百万元基金，征集一百万位同志，提倡一百万所学校，改造一百万个乡村，一心一德地为中国乡村开创一个新生命”。

培养“活的乡村教师”“活的学生”“活的国民”，“造成中华民国的伟大的新生命”。这样一份热情洋溢的宣言，鼓舞和感动了许多人，也加速了试验乡村师范的落实。12 月 27 日，陶行知正式以中华教育改进社名义向江苏教育厅申请办乡村师范，3 天后就得到批复，创建乡村师范学校成了他 1927 年元旦的新年礼物，他无比振奋，写下这样动情的文字：“我们充饥的油盐菜米面是从哪里来的？我们御寒的棉花丝绸是从哪里来的？我们安居的房屋所用的木石砖瓦是从哪里来的？我们今天不应该下乡拜年、下乡送礼、下乡报恩吗？”

十里荒山、二百亩坟地，南京神策门外的农村小庄，依山傍水，一所在中国教育史上留下伟大足迹的学校——晓庄实验乡村师范学校于 1927

年初诞生了。

陶行知亲自主持试验乡村师范奠基仪式，同时组织城乡人民团拜，宣布改“老山”为“劳山”，改“小庄”为“晓庄”，取日出而作之意，意为“在劳力上劳心”“日出而作”，又寓意学校的创办意义——为中国教育寻觅曙光，如日出破晓。

“老山太老了，不如叫劳山。小庄也应改叫晓庄。我们在这里创办试验乡村师范，在劳力上劳心，中国的教育必将从这里破晓，放出曙光。”陶行知激动得热泪盈眶。

陶行知还亲自设计了学校的校旗，旗之中心有一个小圆圈，里面有个“活”字，代表所要培养之生活力。圈外有个等边三角，代表学教做合一。三角上面有一个“心”放在当中，表示关心甘苦。左边一支笔，右边一把锄头。三角之外有一个大圆圈放射光芒，四面有一百个金星布满全旗，代表一百万个学校，改造一万个乡村，使个个乡村都得到光，合起来造成中华民国的伟大的光。

1927 年 1 月 10 日，刊登在《新教育评论》上的一则新颖的《试验乡村师范学校招生》的广告引起了许多人的关注，广告明确直言学校的培养目标是把师范学生培养成这样的人：“（一）农夫的身手；（二）科学的头脑；（三）改造社会的精神。”考试科目也很特别：（一）务农或土木工操作一日；（二）智慧测验；（三）常识测验；（四）作文一篇；（五）五分钟演说。

与培养目标相映成趣的是，广告还特别表示：“本校准备：（一）田园二百亩供学生耕种；（二）荒山十里供学生造林；（三）最少的经费供学生自造茅屋住；（四）中心学校数处供学生实地教学做；（五）指导员数人指导学生教学做。”至于“考试资格”的要求更是别出心裁：“初中、高中、大学末一年半程度学生；有农事和土木工经验；及在职教师有相当程度，并愿意与农民共甘苦、有志增进农民生产力、发展农民自治力者，皆可投考。倘有志兴办乡村小学者，为预备师资见，选择合格学生，保送来校投考，尤所欢迎。”

这则招生广告吸引了许多有志的热血青年。清华大学心理学系大二学生操震球就是其中之一。看到广告后，因为敬佩陶行知的行动，他专门在

1927 年 1 月致函陶行知：“自信以我目前的状况，欲效劳于社会，事之最急最要者，一为提高农民知识，二为增进农民生产。两者须同时并进。此种责任，舍乡村师范学校莫能当。此晚生所以决意从事乡村教育，鞠躬尽瘁，死而后已者也。”

而陶行知也专门回了一封著名的信给他：

接读您的来信，得知您愿意离开清华大学投考试验乡村师范，简直让我五体投地地钦佩。国运盛衰决于一转念间。倘使全国青年都能转到各人应当走的道路上去，地狱都可化成天堂，还怕中国不能兴盛！

您既有这种宏愿，我就应当把个中甘苦明明白白地告诉您。田家生活还是要蛮干的，您愿意吗？您能打赤脚在烂污泥里奔走吗？您不怕雪白的脸晒黑、手上起硬茧吗？您不怕在风霜雨雪中挑粪吗？您愿意和马牛羊鸡狗猪做朋友吗？在城里人看来，这都是苦处；其实乡下人并不以此为苦。纵然这是苦处，乡下人也有城里人想不到的乐趣。乡间山清水秀，尽您游览。早上可以看旭日东升，引您兴奋。晚上可以待月西下，助您吟咏。丰收时节，您手里割着黄金似的稻子，那田家乐的山歌，不断地洋洋乎盈耳。您还能亲眼看见您所栽培的儿童个个桃李似长大成人，看见全村人人读书明理，安居乐业。也许要到令郎令孙的时代才能看见，您能忍耐吗？倘使经过这番考虑之后，您决意要来投考，我们万分欢迎。

这就是陶行知，他不仅是一位脚踏实地、一步一个脚印的实干家，更是一位富于想象的浪漫主义的理想家，对乡村教育是发自内心地热爱。

3 月 11 日，晓庄师范正式开考，科目除了两小时的“国文”，还有劳动考试：上午是 3 个小时的垦荒与施肥，下午是 3 个小时的修路。每个考生发一把锄头，开考铃一响，考生各自奔赴自己的“领地”挥舞锄头刨地。

考试结果公布后，首次正式录取 13 人，操震球等 13 位有志青年成为晓庄试验乡村师范的首批学生。操震球成为陶行知的亲密学生和战友，1928 年，他被陶行知推荐任浙江湘湖师范校长，按陶行知的乡村教育思想办学，使湘湖师范成为晓庄师范的姐妹学校。此后的操震球继承了陶行知的衣钵，虽为办学积劳咯血，但仍无怨无悔地说：“我愿为乡村教育而生，为乡村教育而终。”

陶行知的人格魅力，可见一斑。他是乡村教育运动的思想领袖、灵魂人物，不仅自己实践，还用自己的热忱带动了更多的同行者。

改革试验田　诗意桃花源

1927 年 3 月 15 日，古都南京，北伐军势如破竹，兵临南京城下，一场鏖战不可避免。但在劳山脚下，大家却丝毫没有受到战火的波及，正在兴高采烈地庆祝。农民扶老携幼，来参加一场特殊的典礼，爆竹声声，锣鼓齐鸣，众人高唱《尽力中华歌》，将典礼推向了高潮。

这一天，是南京晓庄师范学校开学典礼的日子。

学校聘请蔡元培先生为学校董事长，教员有陈鹤琴、朱葆初、许士骐、陆静山等，学生有操震球等 13 位志同道合者，来宾还有江苏省教育厅厅长江问渔及附近农友、小学生共 130 余人。会场布置得十分简朴，一张八仙桌，几条长凳，搭起了四座帐篷，就是待客的宴席。

陶行知在开学典礼上发表了热情洋溢的讲话，他说：“农夫在炮火中要种田，与农夫共甘苦的学校也不能为战事而停止招生而开学。本校特异于平常的学校有两点：一无校舍，二无教员。大凡一个学校创立，总要有房子才能开课。我们在这空旷的山麓行开学礼，实在是罕见。要知道我们的校舍上面盖的是青天，下面踏的是大地，我们的精神一样的要充溢于天地间。”

这激情的演讲、洋溢的精神感染了许多人。面对正在激战的北伐军，晓庄学校的十几个学生，在开学第一天就投入到紧张的战斗中，他们分别到燕子矶、尧化门、下关等地，收留老弱妇孺，为他们救治伤病，组织他们住宿，还要轮流站岗放哨，防止败兵闯入胡闹。几天的时间，把乱哄哄的难民安排得井井有条，老百姓们对晓庄学校的学生都竖起了大拇指。

不仅如此，晓庄的学生走到大街上，宣传革命，控诉反动军阀的卖国罪行。他们在附近农村积极协助，组织农民协会，开展斗争。4 月 2 日，开学没几天，陶行知专门给全校师生写了一封信：“深望全校努力合作，训练真农民，使生产力与武力合而为一，以谋求中国农民之解放，这是第一步；第二步要做东亚各国农民之解放；第三步要做全世界农民之解放。乡村师范不断要做中国教育革命之出发点，并且要做世界教育革命之中心。这是我们全体同志的学校，不是一个人的学校。”

在陶行知的梦想中，晓庄学校可不仅仅是寄托了他教育的“野心”，更有他解放全农民、解放全世界的“野心”。

尽管在战事频仍和白色恐怖的背景下，晓庄办学十分艰难，但陶行知和同学们却自有一番革命的乐观主义精气神。建校之初，当务之急就是建设校舍。虽说陶行知在开学典礼上，放出“以蓝天为屋顶，以大地为屋基”的豪言，但教学活动不能真的幕天席地。这个留美学生，开始脱下西服、穿上草鞋，和师生一起开始垦荒、自建校园。

为了创造一个“新教育”，师生们先建宿舍，规定谁的宿舍没建好，谁就要住在帐篷里。接着，这群读书人又动手盖厨房，先是建成了一座简易的厨房。没想到很快就塌了，只得重新再建。然后在厨房里用土砖砌灶，加一个煤炉。师生们还特地为厨房举行了“落成典礼”。厨房之后是厕所，师生们在桃林中的一块空地上，挖几个深坑，埋进柱子，架上梁，再盖上芦席，一个厕所就建好了。紧接着是大礼堂，其实就是毛竹搭建而成的屋子，陶行知将其命名为“犁宫”，并亲自写了一副对联贴在“犁宫”两旁：“和马牛羊鸡犬豕做朋友，对稻粱菽麦黍稷下功夫”。这副对联引用古代蒙学读物《三字经》的话：“稻粱菽，麦黍稷，此六谷，人所食。马牛羊，鸡犬豕，此六畜，人所饲。”陶行知用平民易懂的话写对联，意在学校是培养能和劳动人民打成一片、与日常生活难以分离的文化人，而不是高高在上、不与老百姓同甘共苦的“上等人”。

晓庄还有另外两幅门联：“四体不勤，五谷不分，孰为夫子；小疑必问，大事必闻，才算学生”，还有“认清问题，研究问题，解决问题，为好教育；发明工具，制造工具，运用工具，是真文明”，就是主张教育者应懂得生产劳动，否则没有资格当先生。同时还要从问题出发，学会运用工具。

这是一个与旧传统彻底决裂的学校，陶行知要求学生必须有农人的身手，科学的头脑，改造社会的精神。正如他在诗中所说的：

揭开革命旗，
飘扬劳山侧。
风云啸起处，
书呆失魂魄。
书呆不要吓，
往事不足责。
天赋两个宝，
双手与大脑。
宁做农与工，
联合辟荒岛。

也因为这样，连学校的各种建筑物也是有自己“主张”的：比如把大礼堂叫作犁宫，象征不忘耕犁之本；把图书馆叫作书呆子莫来馆，来馆的人一见就警惕自己不能做书呆子；把厕所定名为黄金世界，为大粪更名；把食堂叫作食力厅，意即自给自足，自食其力；把女生宿舍定名为桃花村，象征女生的温婉柔情；把幼稚园定名樱花村，象征幼儿的单纯可爱。

是啊，这就是晓庄的生活，表面看似粗陋，内里充满诗意，一草一木都浸透着陶行知的创意和心血。不仅如此，为了表示与农民同甘共苦的决心，陶行知干脆把老母、妻子、孩子都接到晓庄居住，还规定大家要尊重农村人，一律称当地乡亲为“农友”。

新教育的曙光从晓庄升起。

在师生们手中，晓庄学校有了规模，有了形状，有犁宫、桃花村、食力厅、书呆子莫来馆、科学馆、美术馆、工厂、中心小学、中心医院、农场等。这些建筑与城市的水泥建筑迥然不同，都是就地取材，虽然简单却雅致，与周边的农舍、群山浑然一体，彰显着独特、简朴的建筑美学。

在学校就要上课，但“浪漫”的陶行知却决心不按常规套路办学，立定从“农村实际生活”出发，办农民内心所需要的学校。他说：“本校的办法，是主张在劳力上劳心。本校全部生活，是‘教’‘学’‘做’。教的法子根据学的法子，学的法子根据做的法子。我们的实际生活，就是我们的全部课程；我们的课程，就是我们的实际生活。”

为此，晓庄的课程分为中心小学生活教学做、中心小学行政教学做、分任院务教学做、征服自然教学做、改造社会教学做五大类，五大类下又有若干小类。

晓庄的一天是这样开始的：每天早晨5点，大家准时起床，学校有一个10到15分钟的全校短会，师生轮流主持。先唱陶行知填词的校歌《锄头舞歌》，继而安排当日的学习和工作，会后是早操。上午主要是读书，书目一部分由学校指定，一部分个人自选。下午是工作时间，内容有田间劳动、简单的工艺制作、校外社会实践等。晚上是平民夜校活动等。每周四下午，全校师生“会朋友去”，到农民家里，与农民谈心。每人都要交到一两个知心的农民朋友。

陶行知带头与村民做朋友，不管是邻里纠纷，还是烦事琐事，他都不怕麻烦。附近的村民都听说这儿有一所奇怪的学校，奇怪的校长。更极端的是，这个学校没有校务，只有一名工人，负责挑水，其他一切杂务，小到饮食卫生，大到接待客人、防卫校园，无论大小，都由师生轮流分担。陶行知本人也亲自参加买菜烧饭，洒扫庭院。学校有门功课叫“烹饪教学做”。有人对师范生学做饭很不理解，陶行知说：“乡村里教学，不会烹饪，就要吃苦。我们晓得师范生初到乡间去充当教师，有的时候，不免饿得肚皮叫，就是因为他们不会炊事。”陶行知还写了一首诗，讽刺书呆子不会做饭：书呆子烧饭，一锅烧四样：生、焦、硬、烂。哎呀呀，吃得肚皮响。

会烹饪才不会饿得肚皮叫，但更为重要的是“农事教学做”，因为“农夫的身手”是陶行知进行乡村教育试验所最为强调的。“有了这一条，就可以了解农民的困苦、艰难和一切问题，并容易做他们的朋友帮助他们；有了这一条，不仅可利用闲暇去耕种园子，也更便于能在乡间立足、生根、有用武之地。”

为了培养学生“农夫的身手”，晓庄学校专门建立了一个试验农场，有水田、桃园、荒山。每个学生分配菜地、粮地、荒山若干，包干耕作，交纳租金，每亩每年菜地 1 元，作物地 2 元，荒山 1 元。农场负责供应种子、肥料和耕牛，并进行农事指导。收获的产品由农场收购，学生可获得一定的经济收入。此外，农场还有大田和菜园，以农民为师，请农民耕种，为学生示范。①

每天，师生们都唱着陶行知写的《锄头舞

①引自王建《陶行知：为人人有水仙花看的理想社会》，《大众日报》2014 年 10 月 8 日。

歌》，边唱歌边劳作。

手把个锄头锄野草呀！
锄去野草好长苗呀！
绮呀海，雅荷海。
锄去野草好长苗呀！
雅荷海，绮呀海。

五千年古国要出头呀！
锄头底下有自由呀！
绮呀海，雅荷海。
锄头底下有自由呀！
雅荷海，绮呀海。
天生了孙公（孙中山）做救星呀！

唤醒锄头来革命呀！
绮呀海，雅荷海。
唤醒锄头来革命呀！
雅荷海，绮呀海。

革命的成功靠锄头呀！
锄头锄头要奋斗呀！
绮呀海，雅荷海。

锄头锄头要奋斗呀！

雅荷海，绮呀海。

不难看出，“乡村实际生活”乃是陶行知乡村教育改革的根本出发点，“教学做合一”则是其最基本的教学方法。与通常的学校不同，陶行知要求指导员和学生要摸爬滚打在一起，把教室改为生活室，注重与实际生活的密切联系。学生夏孟文回忆说：“生活室除阴雨天，写字、作文在校内活动外，主要活动场所是稻田、菜园里。……我们还要邀请农友在田间用实物讲解，我们边做、边教、边学，既是老师，又是学生，师生打成一片。”①

在对晓庄学校学生采用的教育方法上，陶行知也一改原先“师道尊严”的层级分明的师生教与学的关系，而是要求老师“要学生做的事，教职员躬亲共做；要学生学的知识，教职员躬亲共学；要学生守的规则，教职员躬亲共守”。在这样的学校里，分不清谁是老师谁是学生，只有指导

①引自《陶行知本土办学实践与“生活教育”的独特创造》，黄书光，《教育发展研究》2016年5月27日。

员和学生整天滚打在一起，“与学生共教、共学、共做、共生活”。

作为校长，陶行知身先士卒，比别人尝了更多的苦，但他的内心充实、愉快，他在给家人的信上说自己：“正月初四是试验乡村师范行立础礼的一天，同时请城里的人下乡拜年。我初三晚就下乡，住在一位姓陆的家里。晚上打地铺，睡在稻草上，暖和得很，比钢丝床还有趣。我们六个人睡在一铺，一位是我自己，一位是钱向志先生，三个安徽公学的校工，还有一个你们猜是谁？猜得着的将来可以多吃一块糖，桃红，小桃，三桃，蜜桃都猜猜看，你们怕是猜不着的。待我说来，它是一条耕田的牛，睡在我的旁边，脾气很好，也很干净……”陶先生下乡与“大牛哥”同铺的故事就这样传开了。后来他又说：“行知近在乡村师范工作，快乐得像活神仙一样，整天打赤脚，穿草鞋，自由得很。”

当然，这种自由和快乐不是一般人能体会的。最开始的时候，老师们除了生活的不适应，还有教学理念的各种不适应。

学校科学组聘请的生物学教员姚文采是陶行

知的金陵大学同事，陶行知特别聘请他到晓庄学校教生物课。刚开始上课时，姚文采抱了一大堆参考书，结果当场遭到陶行知的否定。

姚文采这下子蒙了，教了十多年生物课，从来没有不带书本去上课的时候，他弄不懂陶行知是什么意思。

陶行知并不多言，而是请来了两个叫花子。看着丈二和尚摸不着头脑的姚文采，陶行知说："晓庄附近有许多蛇，经常咬伤人，我专门请来两位老师，来教大家捉蛇，你看怎么样?"

原来，这两个叫花子不是普通的乞丐，还有会捉蛇的绝招。就这样，叫花子开始现身说法，为晓庄师生上起了"捉蛇"的生物课。

几天以后，课堂效果显著，学生们学会了捉蛇，但又有疑问了，比如蛇没有脚为什么跑得快，蛇没有耳朵怎么听得见声音等。

这样的问题，叫花子解决不了，得由姚文采解决了。理解了陶行知良苦用心的他明白了：作为晓庄的老师，不能死板地教知识，而应该从问题出发，让学生把知识转变为能力。

变了头脑的姚文采开始带领学生采集标本；

把挖草药的老农请来教认草药；请种花木的花匠来教种植花木的方法，生物课从此上得生动活泼。

许多老师都经历了姚文采这样的心路历程：教学生学养鱼，就在校内池塘里做试验，订出养鱼教学做计划，请专人来指导；研究虫、鸟等生物，就引导学生到大自然中去捕捉、采集制作标本；研究园艺和农业，就请老农和农业专家教学生种地。

陶行知不但善于创新教学，还善于鼓舞青年。因为来晓庄学校工作的都是一些热血青年，虽然刚开始满怀理想，但工作环境的艰苦往往又会让人打退堂鼓。怎么鼓励这些青年，陶行知专门写了一篇文章《介绍一件大事——给大学生的一封信》，特别强调小学教师的重要性，“小学教员教得好，则这一二十、一二百家的小孩子可以成家立业。否则，变成败家子，永远没有希望了。所以小而言之，一个小学生之好坏关系全村之兴衰。国家设立小学是要造就国民以谋全民幸福。因此，全民族的民运都操在小学教员手里”。而来到晓庄学校的小学教员要做到以下四件事情，才是合格的教师：

（一）生活农民化　我们做乡村工作的人，必先农民化，才能化农民。我们与农民共生活同甘苦，才能了解他们的困难，帮助他们解决。这是《大学》“新民”的道理，我们可以引导大家实行的。

（二）学术儿童化　乡村师范的职务，是训练小学教师；故他的指导员和普通中学的教师不同，必须明白儿童生活才能胜任。诸位所学的高深学问，必须向儿童需要折腰。儿童是诸位的总指导，我们只是儿童的助手。

（三）团体行动纪律化　我们民族最大的病根，是数千年传下来的无政府脾气！那凿井而饮、耕田而食的农民，连团体里都充满了这种脾气。要想铲除这个病根，非有严明的纪律，则一盘散沙之民族断难幸存，我们可以帮助大家，放弃个人的自由，以谋公共的幸福。

（四）建设工作下层化　种树栽花，要下面可以安根，上面可以出头，才有活的可能。人生如此，立国也如此。但有好些人只顾向上出头，忘了向下安根，所以枯死。我们应当明白，最下层的工作是最重要的工作。这种工作，又须彻底去干。一次，工人为我们凿井，没有挖到泉下就中止了。临行，要我写字送他，我就送他八个字："下层工作，务须彻底。"我们愿意同大家一齐下井，挖到活泉为止。

在这封信中，陶行知不仅提出了要求，更恳切地说："人生为一大事来，做一大事去。"此后他更赋诗一首：人生天地间，各自有禀赋。为一大事来，做一大事去。这句名言已经成为陶行知办教育最真实的写照。这其中所谓的"大事"就是一般人"瞧不上"的"教育小事"。

如果有更多的人都把"教育小事"当作"人生大事"，那还害怕教育不成功？

1928 年 8 月，晓庄师范学校改名为晓庄学校，因为此时的晓庄已经不仅仅是一所学校，除了第一院——小学师范学院（赵叔愚任院长），还有第二院——幼稚师范学院（陈鹤琴任院长）；另设中心小学 8 所、中心幼稚园 6 所，规模可谓庞大！

为什么陶行知办起幼稚园？源于一次偶然的机会，陶行知下乡，看到一个母亲正在田里劳动，旁边的竹筐里装着她的儿子；还有一次，陶行知见一个孩子辍学在家，便问为什么不上学？孩子说："田里很忙，要帮妈妈看小妹妹，没法上学。"联想起自己此前参观江宁县立师范时，农民家的孩子在农忙季节无人看管，他越来越感到乡村有必要设立幼稚园。

就在这时，陶行知收到了妹妹的来信，询问如何给母亲办 60 大寿。陶行知在回信中提出了一个办法：用给母亲祝寿的钱和亲友的贺礼，办一所乡村幼稚园，以作永久的纪念。在 1927 年初，他就给母亲写信："儿从母亲寿辰立志，决定要在这一年当中，在中国教育上做一件不可磨灭的事业，为吾母庆祝并慰父亲在天之灵。""儿自从立志以后，一年之中务求不虚度一日，一日之中务求不虚度一时，要叫这一年的生活完全的献给国家，作为我父母送给国家的寿面，使国家与我父母都一样的长生不老。"

几经思考后，陶行知选定在南京燕子矶开办乡村幼稚园，所有费用都靠自己筹集。

而在开办幼稚园的过程中，当年同船赴美留学的老朋友陈鹤琴给予了陶行知许多无私的帮助。与陶行知一样，陈鹤琴提出"活教育"的口号，试图用"活教育"来改革中国的旧教育，尤其是中国的幼儿教育。

1927年11月11日，晓庄樱花村里，燕子矶乡村幼稚园正式开学，这是中国第一所乡村幼稚园。幼稚园招收附近3到6岁的幼儿，实行“来者不拒”、“不来者送上门去”的免费教育方针，不收取任何学杂费。

这也是一所“中国的、省钱的、平民的”乡村幼稚园，旨在消除旧中国幼稚园所害三大病“外国病”“花钱病”“富贵病”。陶行知、陈鹤琴在幼稚园的课程设置、教学方法上花费了许多心血。燕子矶幼稚园运用中国的民歌、民谣、诗歌、故事、玩具及中国的民族音乐、自然风景来陶冶幼儿；同时选用“具有普遍性、永久性”的外国材料，有儿童游戏场、滑梯、跷跷板等；在教学方法上，主张让儿童自由活动，多接触大自然。针对农村生活的特点，燕子矶幼稚园实行全日制，尽可能办“整年整天的幼稚园”。幼稚园的假期以农事忙闲为依据，暑假不放假，以便让农妇有足够时间干农活。

开办乡村幼稚园需要培养师资。陶行知主张“训练本乡师资教导本乡儿童”，乡村幼稚园教师的来源有两个：一是本乡中“资质聪明，同情心丰厚之妇女”，二是乡村教师的夫人、姊妹和学生。这样“本土”造血机制，让乡村妇女有了赖以生存的职业，也能增加她们的家庭收入。紧接着，陶行知创办了乡村幼稚师范学校，也就是晓庄学校的第二院。第二院开设文牍、会计、整洁、庶务、招待、儿童活动、儿童养护、园务等 24 项教学内容。

从幼稚园到小学，再到师范学院，晓庄学校可谓打通了一条线，需要特别强调的是，陶行知所创办的“小学师范学院”与其“中心小学”有着密不可分的重要关系。他说：“中心小学是以乡村实际生活为中心，同时又是试验乡村师范的中心。平常师范学校的小学叫作附属小学，我们要打破附属品的观念，所以称它为中心小学。中心小学是师范学校的主脑，不是师范学校的附属品；中心小学是师范学校的母亲，不是师范学校的儿子；中心小学是太阳，师范学校是行星……总之，乡村教育的生路是：我们要从乡村实际生活产生活的中心学校，从活的中心学校产生活的乡村师范，从活的乡村师范产生活的教师，从活的教师产生活的学生、活的国民。”

一所又一所小学成立了。活的国民就诞生在这样的小学中。

1928 年 2 月 7 日，由晓庄学生谢炜桀、韩度办的吉祥庵中心小学在大风雨中开学，陶行知冒雨前去祝贺：“回想到北方有一首歌谣：‘风来了！雨来了！老和尚背着一个鼓来了。’又想到我为乡村教师写过一副对联：‘捧着一颗心来，不带半根草去。’便把两样意思合而为一，写成这首歌，奉贺吉祥庵中心小学的家长和小朋友。”这首歌是这样子的：

风来了！雨来了！
谢老师捧着一颗心来了。
风来了！雨来了！
韩老师捧着一颗心来了。

诗歌虽短，却清新可爱，寥寥数语展示了以“谢老师”“韩老师”为代表的当时中国乡村教师的可敬形象，他们怀揣无限的真诚，走进童心世界。正是因为有了这些捧着心的乡村教师们，才有了蓬勃的乡村教育和红火的乡村学校。

在一些人看来，陶行知的“教育版图”扩张的速度太快了。其实真要了解这些小学创办的成本，就明白了背后的秘密。以吉祥庵中心小学为例，校舍是庙宇改建而成，也就三间小平房，凳子都是学生自己带过来的，每月办学经费才6元，朝最少钱办最好教育的方向去努力。办学需要的是人，小学的校长、教师都是由晓庄的师范生轮流去当，规定每5名师范生一组，任期半年。派去的师范生每月只拿8元钱伙食费，没有薪水。

这些师范生不仅在南京本地办学，还奔赴外地办学。1929年春，3名学生自告奋勇去江苏淮安办一所小学，临行前，陶行知还专门予以叮咛：

一、你们去淮安，到那里是去创造，是为农人和儿童谋幸福，凡事以农人和儿童的利益为前提，而不是在那里享受。

二、我们是树起新教育的旗帜和旧教育奋斗。在教育上革命，办一种革命的教育。在那里去做一种新教育的试验。如果仍然办一种传统的教育，那就不必多此一举。

三、你们为那里的农人和儿童办学校，就要和当地的农人联合起来，共同设法以谋学校之发展，要训练当地的农人能够自己保护自己的学校，培植你们的学生能够办理他们自己的学校，只有这样，这种新教育的力量才能永远推动，永远产生新的效力。

这样的办学，物质成本、人力成本降到最低，但教学理念却无疑是当时最先进的，最有效果的。而这三人创办的小学就是日后赫赫有名的新安小学，曾诞生过著名的新安旅行团，曾在少年儿童革命斗争史上写下辉煌的篇章。

晓庄师范成为陶行知教育生涯的辉煌点，也推动着中国教育向全新的方向发展。正如陶行知作词的《劳山歌》里唱的：

老山劳，
小庄晓：
咱锄头，
起来了。
老山劳，
小庄晓：
新时代，
推动了。

“活的乡村教育，要叫人生利。他要叫荒山成林，叫贫瘠地长五谷。他要叫农民自立、自治、自卫。他要叫乡村变成西天乐国，村民们都变成快乐的活神仙。”陶行知心目中理想的乡村社会正在向他招手。

晓庄虽关闭　精神永长存

晓庄仅仅是一个学校吗？

答案当然是否定的。

除了“养成农人的身手”“养成科学的头脑”，“养成改造社会的精神”是陶行知创办晓庄的第三个目的。

办教育和改造社会是两件事吗？

在一般人看来，是风马牛不相及的两件事，但在陶行知这里，这是一件事。因为改造社会不从办学入手便不能改造人的内心；不能改造人的内心，便不是彻底的改造社会。

“乡村虽小，必定可以找着几位黄泥腿的领袖和我们合作。只需找着一两位，进行起来，便能事半功倍。不但如此，同志便在眼前，一个个学生都可以成为活龙活虎的小同志。只要教师们放下孤高的架子，改造乡村的忠实同志正多着咧。”在陶行知看来，晓庄学校不是传统意义上的教育单位，而是改造社会、启发民智的地方，是“改造农村生活的中心”。

所以，“改造社会教学做”才会成为晓庄的五大课程之一，它的内容五花八门，有村自治、民众教育、合作组织、乡村调查和农民娱乐教学做等，迥异于传统的教学。

几年的时间下来，“改造社会教学做”发挥了很大的影响力。

农民不识字，晓庄学校成立了民众学校，对学校附近地区农民进行识字教育，通过办民众夜校等形式，对农民进行扫盲教育。当然，这也是以前陶行知推广和实践平民教育经常做的事情。

农民没地方玩，陶行知就派人创办“中心茶园”，“中心茶园”列入晓庄师范的26项重要事务之中，备有象棋、胡琴等，为农友说书，借故事教农民识字。他还在茶园写了一副流传至今的对联：“嘻嘻哈哈喝茶；叽叽咕咕谈心。”自此以后，农民们说：“有这么有意思的地方，谁还去抽鸦片、赌博、干坏事？”

农民没地方看病，农村缺医少药。晓庄学校创办乡村医院，医院开业的当天，医师为小学生检查眼病，发现很多小学生都有沙眼，师生跟着巡回医生检查沙眼、学些简单医术，治愈了他们的眼疾。当时农村婴儿死亡率高，多因天花，师生们又学会了种痘技术，挨家挨户给小孩种痘。

农民没人保护，北伐军攻占南京后，军阀部队的一些残兵败将在晓庄附近为匪，他们打家劫舍，危害百姓，弄得人心惶惶、鸡犬不宁。晓庄学校挺身而出，组织农民成立“联村自卫团”，开展防匪防盗等自卫活动，培养农民的团结战斗精神。当时还有一则趣事，话说联村自卫团成立后不久，陶行知收到了土匪的恐吓信，信里说：“你办你的学校，何必干预我们的事。我们兄弟流落他乡，没有旅费回家，特向你要三万元，一文都不能少，否则我等将你杀得鸡犬不留。”

陶行知看信后不仅没有惊慌，反而笑着说：“我倒想和这些土匪谈谈。劝他们改邪归正，暂时不必回乡，先到晓庄来受些教育再说。”

为了防范土匪，联村自卫团在校内设防加岗。临近土匪规定的期限时，联村自卫团严阵以待，土匪却没有动静。大家都打趣说，是陶行知的气势震慑住了土匪，后来这一带再也没有听说过土匪骚扰之事了。

农民没水吃，陶行知还为老百姓打起了水井。其实这口井虽然是学校打的，专供学校师生的，陶行知还是决定献给全村公用。但水井每天出水有限，也不够全村男女老少用，引发的纠纷不断。

面对这种问题，学校本来可以出一个告示，规定大家轮流抬水。但陶行知不这么想，他觉得，这件事是与全村人的生活有关系的，必须由全村的人共同商量解决，于是学校专门召开了村民大会，一共到了六七十个人，有老太婆，也有十二三岁的小孩子，公推了一位十几岁的小学生做会议主席，用陶行知的话说，就是大家“共同来做一个吃水问题的教学作业”。

几经吵闹，几经商量，大家共同议决了几件事：

（1）水井每天休息 10 个小时，下午 7 点到上午 5 点不许取水。违者罚洋 1 元，充修井之用。

（2）每天取水，先到先取，后到后取。违者罚小洋 6 角，充修井之用。

（3）公推刘君世厚为监察员，负执行处分之责。

（4）公推雷老先生为开井委员长，筹款加开一井，茶馆、豆腐店应多出款，富户劝其多出，于最短期内，由村民团结的力量，将井开成。

因为这几个议案是由村民大会通过的，所以得到了村民们的首肯和执行，而这正是陶行知的智慧和创新所在，把社会上的公共事务当成学校的作业来完成，充分发挥老百姓自治的力量，而这些收获也被写在陶行知的教育名篇《生活即教育》：

这就是社会即学校的办法。由此，我有几个感触：

（一）民众运动，要以对于民众有切身关系的问题为中心，否则不能召集。

（二）社会运动，非以社会即学校，则不能彻底实行。而社会即学校，是有实现的可能的。

（三）不要以为老太婆、小孩不可训练，只要有法子，只要能从他们迫切的问题着手。

（四）公众的力量比学校发生的大，假使由学校发命令解决，则社会上了解的人少，而且感情将由此分离。

（五）民众没有指导是不行的，和平门饮水问题，倘无相当指导，可以再过四五十年也不会解决。

（六）做民众运动是要陪着民众干，不是替民众干。要想培养中华国民，非此不可。

为农民解决了温饱问题，陶行知并没有止步。

农村就是落后、封闭的代名词？陶行知不这么看，他想把晓庄学校的诗意进一步迁移，让当地的农民也过上一种全新的生活。为此，他请来了超强阵容的“外援”。

1929 年，陶行知专门邀请著名剧作家田汉带领南国社来到晓庄演出。在此之前，他给田汉写了一封情真意切的信：“自从南国社来南京演出后，使城里人起不来，乡下人睡不着，您如果能专攻白话戏剧，必能为中国戏剧开辟新的纪元。我代表晓庄的农友教师学生向您致礼，欢迎您下乡现身说法，这对于文化落后的乡村，是最合适不过的了。”

田汉收到信件后，非常感动，于是他和南国社在寒冬腊月里，冒着风雪，踩着泥泞，一路颠簸来到了晓庄。演员们立即在礼堂里临时搭起了一座小舞台，农民们听说大名鼎鼎的田汉来了，都跑来看戏了。

演出前，先开了一个欢迎会，陶行知致欢迎词："今天，我是以'田汉'的资格欢迎田汉。晓庄是为农民而办的学校，农民是晓庄师范的好朋友，而我陶行知就是一个为农民教育服务的'种田汉'，我们的教育是为种田汉而办的教育，我们学校大礼堂前的那一副对联'和马牛羊鸡犬豕做朋友，对稻粱菽麦黍下功夫'，就足以说明我们办学的态度：为农民服务，为农村的教育服务。所以今天，我们以一个'种田汉'的身份欢迎戏剧家田汉。"

陶行知讲完后，田汉站起来致答词说："陶先生说他是以'田汉'的资格欢迎我田汉，真是不敢当！我是一个'假田汉'，陶先生是一个'真田汉'，我这个'假田汉'能够受到陶先生这个'真田汉'的欢迎，实在感到荣幸！我们一定要向'真田汉'学习！"

一个是教育上的"田汉"，一个是戏剧上的"田汉"，两人对"田汉"的解释，巧用"谐音"，风趣幽默，让在场的农友和学生们笑声连连。

田汉不仅仅给晓庄带来了戏剧，还把戏剧的种子播散到了这里。在田汉和南国社的指导下，晓庄剧社成立了。晓庄学校专门派出学生谢纬磐到上海去学习，陶行知任晓庄剧社社长兼编剧。他们在茶园演出的第一出戏是田汉的《生的意志》，但此后又有了许多新戏，比如陶行知自己编的《乡姑的烦恼》《爱的生命》《死要赌》等短剧。陶行知甚至自己登台演出，在《生的意志》中饰演老父亲，在《苏州夜话》中饰演老画家。

晓庄剧社虽然刚刚成立，但因为接地气，总是有新剧能上演，立即受到了当地人的热烈响应。当然，更重要的是，与面向城市的南国社不同，晓庄剧社的剧本都是适合农民口味的。所以，晓庄剧社的影响迅速扩大了，不仅开始在学校演，还到燕子矶街头和农村集镇演出，还到镇江、无锡、宝山、苏州、杭州等地演出一个多月 30 多场。当时报纸还有评论说：“晓庄剧社赚了许多观众的眼泪。”

剧社的兴旺，让陶行知越来越振奋，他亲自编写了许多通俗易懂的歌曲，诸如《镰刀舞歌》《农夫歌》，这些歌朗朗上口，贴近农民的生活，比如《农夫歌》，就直接写道："穿的破布衣，吃的草根面，背上背着没卖掉的孩儿，饿煞喊爹爹。牵着牛大哥，去耕别人田。太阳晒在光头，心里如滚油煎"，农民听了，如何不感动，不喜欢？这些歌曲不仅在学校里唱，晓庄学校还组织歌咏队、曲艺队到街头、农村演出，为农民而歌，唱出他们的心声，提高他们的认识和觉悟。

小小一个晓庄，改变了一方水土，这就是陶行知"改造社会的精神"：办了民众学校，教农民识字；办了信用合作社，帮助农民度过灾荒；办了农业科学馆，推广良种；办了乡村剧社，丰富农民业余生活；办了乡村邮局，方便农民对外联络；办了乡村儿童游戏场，供儿童嬉戏；办了联村运动会，丰富农民的业余生活……甚至到了后来还酝酿开辟乡村公路，修建小型发电厂。

为什么几十个人能做出这么伟大的成绩，陶行知自己给出了回答：我们从事乡村教育的同志，要把我们整个的心献给我们三万万四千万的农民。我们要向着农民"烧心香"。我们心里要充满那农民的甘苦。我们要常常念着农民的痛苦，常常念着他们所想得的幸福，我们必须有一个"农民甘苦化的心”才配为农民服务，才配担负改造乡村生活的新使命。

人心都是肉长的，陶行知的所作所为，农民们看在眼里，记在心头。没有数据显示晓庄农民们的识字率提高了多少，也没有统计说明晓庄生态改善了多少，但从大家参加学校开学典礼的人数变化中就能看出来。

晓庄办学不过两年的时间，第一次的开学是在荒山里坟墓中举行的；等到第二次的纪念礼，男男女女、扶老携幼竟有两三千人。师生们与农民亲如一家，打成一片，而农民也把这些读书人看成自己的家里人、自己的老师。

尤其是晓庄举行周年纪念会召开联村运动会时，更是吸引了十里八村的农民。1928 年 4 月 22 日，陶行知主持联村运动会，国民政府大学院院长蔡元培、副院长杨杏佛偕同国民党元老吴稚晖到会，师生们表演了“锄头舞”“蓑衣舞”“插秧舞”，惹得大教授和农友们都乐开怀。特别是蓑衣舞，引起了诸多观众的兴趣，男女同学各 20 多个人，身披蓑衣，模仿农民进行农事的动作，颇有自然情趣。到了第二届运动会时，更可谓盛况空前，附近农民几百人牵着耕牛，拿着扁担，敲锣打鼓，前来参加耕牛比赛，此外还有跳水比赛、山歌比赛、跑山比赛、武术表演等。附近农民都说："就盼着开运动会了，比赶集还热闹。"等到了1930年的晓庄三周年，纪念活动就更丰富了，有24项之多，有生物馆展览、农艺馆展览、"书呆子莫来馆"展览、农场展览、无线电制品展览、中央茶园展览、农民生活区（学生住的宿舍）展览；有晓庄剧社演剧、耕牛比赛、联村自卫团会操、锄头舞表演、蓑衣舞表演、联村救火会演习等等。

随着晓庄气象日新，周边的乡村都以它为榜样，不断有其他村子里的人过来学习。1930年，江苏省民政厅还将江宁县北固乡"完全划作实验区，归该校指导进行"，以实现"民有、民治、民享之乡村"。

而在全国范围内，晓庄学校很快声名远播，吸引了众多社会人士，甚至国外许多教育学者都纷纷来参观访问，他们把晓庄当成了朝圣之地。

1927年10月，蔡元培等来学校参观，对学校火红的教育成果大为叹服。他在欢迎会上发表演说，称赞晓庄的教育是“现代教育方法中最好的一种”，对晓庄人“抱有大志研究乡村教育”的精神予以高度评价。

紧接着，国际自由平等同盟会特派代表 2 人来晓庄试验乡村师范参观，称赞晓庄师范的办学宗旨和办法“实在很适合现代潮流，推翻旧时教育制度，将为新中国创造一种新的教育制度出来”。

因为晓庄的名声和陶行知的功绩，冯玉祥将军也被打动了。1927 年底，他邀请陶行知前往河南考察，除了将晓庄师范视为“乡村师范教育的模范”之外，还要陶行知留下来担任河南教育厅厅长。换成其他人，可能就去了。但陶行知不一样，他理解冯玉祥将军的赤诚，感激将军的信任，所以会去河南走一趟，助其规划河南教育，推广部队识字运动，可是他的心终归属于晓庄师生：“培养一百万个教师，改造一百万个乡村”，都要从自己倾尽一切的晓庄师范开始。如果要做官，他早就去了。

1928 年秋天，晓庄还迎来了一队特殊的客人，那是蒋介石和夫人宋美龄，他们也是慕名来一探究竟的，由此可见晓庄之威名。尽管当时关于两个人的会晤没有详细的资料记载，但可以确定的是，晓庄的威名已经影响到了蒋介石，并且让他非常感兴趣。

这种影响不仅停留在国内，还走出了国门。

1929 年 10 月 15 日，陶行知的老师、哥伦比亚大学教授克伯屈从苏联考察教育后，专程来参观晓庄。他把参观过程拍成纪录片，公开盛赞陶行知的成就："我曾到各处找这一种运动，找这一种试验的学校，找有科学根据的试验，现在却给我找到了一个。他的实施的方针和办法，以及发动的理想、进步的过程，都合乎我的标准。这也可以代表中国整个民族的精神……我现在无论到什么地方，都要宣传在中国的晓庄有一个试验学校，把这里的理想和设施宣传出去，使全世界人知道。"这个纪录片被克伯屈在美国播放，一时间美国教育人都知道中国有个晓庄，有个陶行知。

1930 年，是晓庄发展史上的一个重要分水岭。这一年的 3 月 15 日，为纪念晓庄建校 3 周年，陶行知发表《晓庄三岁敬告同志书》，阐述了"从爱里产生出来"的晓庄的伟大使命，"没有爱便没有晓庄。因为他爱人类，所以他爱人类中最多数而最不幸之中华民族；因为他爱中华民族，所以他爱中华民族中最多数而最不幸之农人。他爱农人只是从农人出发，从最多数最不幸的出发，他的目光，没有一刻不注意到中华民族和人类的全体”。

他还特别提到，晓庄是同志的结合，晓庄的茅草屋一把野火可以烧得掉，晓庄的同志饿不散，冻不散，枪炮惊不散。我们是为了一个共同的使命来的。这使命便是教导乡下阿斗做中华民国的主人。要想负得起这个使命，便不能没有特殊的修养，比如以下四条方针：

（一）自立与互助

“滴自己的汗，吃自己的饭，自己的事自己干。靠人靠天靠祖上，不算是好汉。”这首《自立歌》，晓庄的人是没有不会唱的了。我们所求的自立，便是这首歌所指示的。但是自立不是孤高，不是自扫门前雪。我们不但是一个人，并且是一个人中人。人与人的关系是建筑在互助的友谊上。凡是同志，都是朋友，便当互助。倘不互助，就不是朋友，便不是同志。我们唱一首互助歌吧：“小小的村庄，小小的学堂，小小的学生，个个是好汉。好汉！好汉！帮人家的忙。”

（二）平等与责任

在晓庄，凡是同志一律平等。共同立法的时候，师生工友都只有一权。违法时处分也不因人而异。我们认为，在同一的团体里要人共同守法，必须共同立法。但同志的法律地位虽平等，而责任则因职务而不同。职务按行政系统分配，各有各的职务，即各有各的责任。责任在指挥，当行指挥之权；责任在受指挥，应负受指挥之义务。

（三）自由与纪律

晓庄团体行动有一致遵守的纪律，但这些纪律的目的，无非也是增进团体生活的幸福，防止个人自由之冲突。晓庄毕竟不但是个“平等之乡”，而且是个“自由之园”。晓庄以同志的志愿为志愿，以同志的计划为计划，以同志的贡献为贡献。晓庄虽然希望每个同志对于共同的志愿、计划是要有些贡献，但是乡村教育的范围广漠无边。除非是身在乡下心在城里的人，总可以找出一两样符合自己的才能兴味。大部分的生活都是供大家自由的选择。学园的成立是由于园长选同志，同志选园长，格外合乎自由的意义。试验自由是各学园的础石。晓庄所要求于个人的只是每个人都有计划，要按着自己的计划进行。至于什么计划，如何实现，都是个人的自由。在理想的社会里，凡是人的问题都可以自由的想，自由的谈，自由的试验。晓庄虽然没有达到这种境界，但愿意努力创造这样的一个社会。这里含蓄着进步的源泉，这里蕴藏着人生的乐趣。

（四）大同与大不同

我们试到一个花园里面去看一看：万紫千红，各有它的美丽，令人一进门便感觉到生命的节奏：这便是大同之效。晓庄不是别的，只是一个“人园”，和花园有相类似的意义。我们愿意在这里面的人都能各得其所，现出各人本来之美，以构成晓庄之美。如果要找一个人中模范教一切人都学成和他一样，无异于教桃花、榴花拜荷花做模范。我们当教师的实在需要园丁的智慧。晓庄不但是不要把个个学生造成一模一样，并且也不愿他们出去照样画葫芦。晓庄同志无论到什么地方去，如果只能办成晓庄一样的学校，便算本领没有学到家，便算失败。没有两个环境是相同的，怎能同样的办？晓庄同志要创造和晓庄大不同的学校才算是和晓庄同，才算是第一流的贡献，才算是有些成功。

就在教育界同仁都在欢欣鼓舞地庆祝晓庄办学三周年时，谁也没有想到，危险正在悄悄逼近晓庄。

1930 年 2 月，中央大学、金陵大学、东方中学、五卅中学等部分师生，成立“南京中国自由大同盟分部”，并在南京劳山举行成立大会，到会百余人，绝大部分是知识分子和青年学生，主要内容是反对独裁统治，争取集会、结社、出版、言论等自由。最后，大会选举晓庄学校党支部书记刘焕宗为“南京中国自由大同盟”负责人。

其实，陶行知对晓庄各党各派的活动从不干涉，他的意见是：“晓庄董事长蔡元培在北大是兼容并包，我们的晓庄是自由园地。”当时的晓庄，各种党派都有，可以自由活动。中国共产党晓庄地下党支部是非常进步的青年力量，因而也受到陶行知的关怀和爱护。

“南京中国自由大同盟”正式成立后，晓庄学校成立了中共地下党的外围组织，开展了形式多样的青年活动。1930 年 4 月 5 日，晓庄师生在中共地下党支部的领导下，参加南京学生反帝爱国示威游行，声援罢工斗争。

蒋介石认为晓庄师范是这次反帝风潮的主要参与者和发起者，便要求陶行知开除“闹事学生”，但陶行知严词拒绝。谁也没有想到，3 天之后的 4 月 8 日，南京国民政府以晓庄学校“违背三民主义，散发反动传单，勾引反动军阀（冯玉祥），企图破坏京沪交通”等为由，勒令停办晓庄学校。

为什么要停办晓庄学校，有许多种说法。有的说法是说蒋介石在访问晓庄学校时被怠慢，有的说法是因为陶行知和冯玉祥交好，蒋介石早就怀恨在心，但比较普遍的一种说法是，蒋介石政府害怕陶行知以自己的威望，和冯玉祥、共产党“勾结”在一起，对自己的政权不利。

陶行知接到了学校停办的命令，悲愤不已，立即撰写《护校宣言》：

晓庄学校，被当局勒令停办了。被当局越过教育部而直接勒令停办了。被当局以秘密开会莫须有之罪名而勒令停办了。乡村教育之发祥地停办在乡村教育没有普及之前，是何等的痛心啊！中华民国的忠仆能以自己的生命换取中华民国之生命，又是何等的光荣啊！革命的教育摧残于所谓“革命政府”之手，是何等的令人难解，而又是何等的令人失望啊！

陶行知还抗议说，晓庄的门可封，它的嘴不可封，它的笔不可封，它的爱人类和中华民族的心不可封。

紧接着，南京卫戍司令部派出军警缉拿陶行知，解散学校，可是当士兵们查封晓庄时，讽刺的事发生了，晓庄没有围墙，没有校门，大封条竟不知贴在何处。

晓庄学校师生则组织“护校会”，向教育部请愿并散发宣言，高呼“反对停办晓庄学校”“保障乡村教育事业”等口号以示抗议。

但在强大的法西斯政权面前，任何的请愿和抗议都是微弱的。1930 年 4 月，3 岁的晓庄夭折了。而在查封晓庄的同一天，蒋介石以国民政府名义对陶行知下达通缉令，一位功勋卓著的教育家竟然成了国民政府的通缉要犯。

虽然办学时间只有 3 年，但陶行知苦心孤诣，劳筋伤神，呕心沥血，一路坎坷，给后人留下了一个完美乡村学校的样本，为中国教育史镌刻下重重的一笔。晓庄学校是实践陶行知“生活教育”理论的第一个试验基地，在这里，他的生活教育的基本理论体系开始形成。

1939 年，陶行知在总结自己的教育工作时说：“在这 12 年当中，应客观环境的需要，我们是发动了四个教育运动：即乡村教育、普及教育、国难教育、战时教育。这四个运动只是一个运动的四个阶段，这一个运动便是生活教育运动。”

陶行知认为，没有生活做中心的学校是死学校；没有生活做中心的书本是死书本。生活与教育是同一过程，教育不能脱离生活，生活也不能脱离教育。有什么样的生活就应有什么样的教育，教育的内容应根据生活的需要。生活教育与传统教育、洋化教育最大的不同在于，前者是强调生活与教育的联系，而后者是教育与生活的脱离。

陶行知一生有关教育的论述近百万字，其中学术著作有《中国教育改造》《中国大众教育问题》《陶行知教育论文选辑》《斋夫自由谈》《古庙敲钟录》等，都是从具体的教育实践活动中概括出来的、适合中国国情的教育思想，有许多独到的见解。而在这所有论述中，“生活教育”是最富有创造性、最核心的理论。在陶行知看来，教育和生活是同一过程，教育含于生活之中，教育必须和生活结合才能发生作用，他主张把教育与生活完全熔于一炉。“生活即教育”的核心内容是“过什么生活便是受什么教育”。陶行知认为，“生活即教育”是以生活为中心的教育，是生活所原有的、生活所自营的、生活所必需的教育。从这个意义上讲，教育也是生活的一部分，所以生活教育要求受了教育的学生能解决实际问题，手脑并用，学以致用。同时，生活无时不在变化，不同的时代就具有不同的教育意义。所以，“生活即教育”的实践意义在于承认一切非正式的东西都在教育范围内，教会人们适应广泛的社会生活，促进生活的变化。他还说：“生活教育与生俱来，与生同去。出世便是破蒙；进棺材才算毕业。”“社会即学校”是要求学生从小养成改造社会与自然的精神和能力，这就要把学校的一切都延伸到广阔的社会和自然中去，不但教育的材料、教育的方法、教育的手段和教育的环境可以大大扩张，而且教育者和受教育者的范围也都可以尽量拓展。

当然，这些理论深受杜威的影响，杜威提出

"教育即生活""学校即社会""从做中学"三个主张，而陶行知并没有墨守成规，将该理论依样画葫芦地运用到自己的教育改革实践中去，而是大胆地将杜威的主张翻了个筋斗，改为"生活即教育""社会即学校"。

对此，陶行知是这样解释的："反过来主张'社会即学校'，教育的材料、教育的方法、教育的工具、教育的环境，都可以大大增加，学生、先生也可以更多起来。"

在一些专家看来，陶行知的理论不是杜威的翻版，不是字句的颠倒，在内容和性质上有着根本的创新与不同，"教育即生活"的对象主要是指儿童，只是把社会上的"生活"引入学校，教育的场所就是学校；"生活即教育"的对象，不仅是儿童，还包括一切成人，它是拿进步的生活去改造落后的生活，拿整个的生活去解放偏狭的生活，拿全部的生活去做教育的材料，就其本质而言，是生活决定教育，教育改造生活。

传统的中国观念认为，师者，所以传道授业解惑，教育就是要传授知识，而在陶行知这里，他用理论和实践在批判和扭转这一观念。教育，不仅要教会学生知识，还要让他们学会生活，学会劳动，学会学习。陶行知的理论超越了杜威经验主义的教育思想范畴，实际是对五四运动民主和科学精神的继承和发扬，对于克服学校教育的狭隘性，把学校扩展到改造社会和自然的环境中具有重要意义。

如何实现“生活教育”的目标，陶行知给出的方法就是“教学做合一”，“教学做合一”是“生活教育”理论体系中最富有建设性、最具有可操作性的分支理论。用陶行知的话说，“教学做是一件事，不是三件事。我们要在做上教，在做上学。在做上教的是先生；在做上学的是学生。从先生对学生的关系说：做便是教；从学生对先生的关系说：做便是学。先生拿做来教，乃是真教；学生拿做来学，方是实学。不在做上用功夫，教固不成为教，学也不成为学”。

在陶行知看来，“教学做合一”是生活法，也是教育法，它的含义是教的方法根据学的方法，学的方法要根据做的方法，“事怎样做便怎样学，怎样学便怎样教。教而不做，不能算是教；学而不做，不能算是学。教与学都以做为中心”。由此他特别强调要亲自在“做”的活动中获得知识。

这一点，蔡元培也极为赞同，他专程来到晓庄学校，用朴素易懂的方法来解释什么是教学做合一：“教学做合一是很自然的。比如雏燕学飞，一方面老燕要教雏燕飞，雏燕看见老燕怎样飞法，就模仿着同样的飞法，终于雏燕学会飞了。在一件很小的事情上，可以看出教学做是应当合一的。又如小猫要学大猫捕鼠，大猫一定要做捕鼠的姿势给小猫看，这也是寓有教学做应当合一的原理在里边。我们小时吃饭、说话、走路和其他应做的事情，父母虽不是认真的要来教我们做，把吃饭、说话、走路当作一门功课来教我们，但因为父母在吃饭、说话、走路，我们就自然而然地，受父母兄长的启发、暗示、同化而学会了，这也是教学做合一的道理……”

也正是因为“教学做”意义的重大，陶行知把“教学做合一”作为晓庄的校训，走到哪里说到哪里，甚至不断写文章来阐明：“我们学校的基础就是立在这五个字上，再也没有一件事比明了这五个字还重要了。”有趣的是，在晓庄学校，许多课程的名字都是“农事教学做”“家事教学做”

"改造社会环境教学做"，由此可以看出这里"教学做合一"的"做"已经与生活结合，与劳动结合了。

无论是从当时还是从今天来看，晓庄师范的"教学做合一"都是学校教学法的一次革命，它彻底改变了旧传统教育理论脱离实际，学校脱离社会，在黑板上种田、在教室里讲开机器的固有方法。"教学做合一"的中心是"做"，"做"是学的中心，也是"教"的中心，它与以教师为主的强迫式的教授法大异，与空教空学的教学法在本质上不同，它是把教育活动与实际生活结合起来的教育方法，极富有生活力，也极富有创造性。

"教学做合一"必然要引导学生走进自然，走进社会，去实地认识自然，体验社会，进而征服自然，改造社会。实行"教学做合一"的教师不可能单纯地贩卖知识，他必须时时学习，不断创新，改变过去专凭死知识来空教空的老一套，从而收到"以教人者教己""教学相长"的效果。实行"教学做合一"的学生不可能做书呆子。陶行知认为，新旧时代学生之不同，就在一个死读书、一个活用书上。他说：

“旧时代之学生之生活过程，有三个阶段：一、是死读书；二、是读死书；三、是读书死。新时代之学生离不了书，所不同的，他是：用活书，活用书，用书活。活书是活知识的宝库，活书只可活用，而不可以死读。新时代的学生要用活书去生产，用活书去实验，用活书去建设，用活书去革命，用活书去树立一个比现在可爱可敬的社会。”

“教学做合一”下的师生关系也发生了新的变化。传统教育使教师与学生形成了对立的两个方面，师生关系常常弄得很紧张。晓庄师范的师生关系却十分融洽，师生在“教学做合一”下进行教育活动，没有了隔阂与界限，成了友爱、教学相长的新型师生关系。

为了提醒教师爱护学生，了解学生，不要对学生轻易下结论，陶行知还专门写了一首诗《糊涂先生》：

你这糊涂的先生！
你的学堂成了害人坑！
你的墨水笔下有冤魂！
你说瓦特晕，

你说牛顿笨，

你说像个鸡蛋坏了的爱迪生，

若信你的话，

哪儿来火轮？

哪儿来电灯？

哪儿来的微积分？

你这糊涂的先生！

你的教鞭下有瓦特，

你的冷眼里有牛顿，你的讥笑中有爱迪生。

你别忙着把他们赶跑。

你可要等到：

坐火轮，

点电灯，

学微积分，

才认他们是你当年的小学生。

由此我们可以看到陶行知敢于自我批评、自我创新的大无畏勇气，更重要的是，他敢探新理敢闯新道的开拓精神，尽管晓庄停办了，但这种矢志不渝于教育，勇往直前去创新的精神却永远激励着他的战友和弟子们。

“晓庄学校被查封之后，作为实体的晓庄已不复存在，但晓庄3年中培养出来的200多名学生却因此而遍布全国，这是晓庄生命的延续，是晓庄历史的延续，也是晓庄生活教育试验的延续。伴随着他们的足迹，生活教育的种子也在全国四处播撒。”几十年后的今天，南京晓庄学院陶行知研究所所长徐志辉这样评价说。

第三章
抗日救亡　教育在行动

开天辟地　科学下嫁

1930年秋，也是一个多事之秋，被通缉的陶行知先是来到上海，因为特务日夜追捕，不得已东渡日本避难。

国际著名学者杜威、爱因斯坦、罗素、罗曼·罗兰都纷纷对蒋介石提出抗议，要求撤销对陶行知的通缉令。

正是在此时，陶行知写下了《岁寒三友》一诗：

万松岭上松，
鼓荡天风，
震动昆仑第一峰。
千军万马波涛怒，

海出山中。

竹绿梅花红，
转战西东，
争取最后五分钟，
百草千花休闲笑，
且待三冬。

旅居日本的陶行知生活并不宽裕，但他坚信，总会有“海出山中”的机会。

1931 年，陶行知终于回到了阔别一年的祖国，大部分时间居住在上海。而一年的日本考察，让陶行知意识到，“日本之所以强，是强在它的科学发达”，日本工业文明的兴起，与其长期以来对科技教育的高度重视有很大的关系，而在中国，尽管五四运动以来，“德先生”“赛先生”喊了许多年，但中国的科学精神在哪里？科学技术研究仅仅是少数人享有的特殊果实？

对科学教育的重视，其实由来已久。1929 年，因为在推广科学教育的贡献，陶行知被上海圣约翰大学授予荣誉科学博士学位。

“整个世界都是向着科学猛进，我们中国必须领受科学的洗礼，才能在科学的世界上适于生存。但是要想创造科学的中国，必须培养科学人才的幼苗，才能达到目的。”一个新的教育计划在陶行知脑海中形成：来一个“科学下嫁”运动，将以往远离民众、高高在上的科学，下嫁给大众，下嫁给儿童，使广大民众有机会接触到科学，有条件受到科学教育，通过儿童科学化、民众科学化，来实现中国的科学化。

一场中国教育史上具有开拓意义的科普教育运动由此开始，其标志就是“自然学园”的建立，陶行知把这个计划告诉了《申报》总经理史量才，两人一拍即合，史量才表示愿意捐助10万元，供他作普及科学研究基金。

那年夏天，陶行知在上海创办了自然学园，因为“自然科学是开向理想世界的特别快车”，“从农业文明渡到工业文明，自然科学是唯一的桥梁”。自然学园的主要成员有：丁柱中、高士其、董纯才、陶宏、戴伯韬、方与严等，主要从事自然科学的实验，并研究科学普及创作。

据高士其回忆说：自然学园是一所三层楼的洋房……上午我们看报、看书、看资料。午饭后，开始写作。我写儿童卫生讲稿，丁柱中写巴斯德传，陶宏是搞化学的，他有一套玻璃仪器，方与严是陶先生的助理和秘书，一切杂务工作是我们大家分管的。自然学园里有一架很精密的显微镜，我来后主要是供我使用……这里还有其他实验用的设备和仪器。到了晚上，全体自然学园的同人们，由陶先生率领到前面一处空地上观看满天星斗，陶先生给我们指出那是北斗星，那是牛郎织女，那是天河。他又亲自编写了《天文学活页指导》。自然学园也是自由学园，在那儿我们无拘束，过着写作生活。不仅如此，从 1931 年 9 月起，陶行知带头以“不除庭草斋夫”为笔名在《申报・自由谈》发表《比牛顿大一倍》《阳历闹乱子》《伽利略与木星的月亮》《血染的诺贝尔奖金》等关于科学知识和科学家故事方面的文章 15 篇。目的是在广大民众中推广科学知识，以达到传播科学知识的目的。

正是在这些科学爱好者的携手努力下，自然学园编辑出版了一套《儿童科学丛书》和《大众科学丛书》。其中《儿童科学丛书》影响最大，包括生物、化学、物理、天文、地质、生理卫生等共 108 册。陶行知本人自己编写了 3 册科普读物：《儿童度量衡》《空气的把戏》和《肥皂的把戏》。他还在国内建立了一个小型实验室，经常组织园内人员到小学玩科学游戏，为孩子们做示范。

在谈到丛书的编写目的时，陶行知说："我们编辑这部书的目的在引导小朋友把自己造成科学的孩子。科学的孩子必得动手去做，用脑去想，所以这部书是科学的孩子实验观察思想的指南，而不是静坐那儿'诗云子曰'一样的读书。如果买了回去，读而不做，做而不求做之所以然，那便是违背我们编书的宗旨了。"他希望，使用这套丛书的小朋友中能够出现中国将来的伽利略、巴斯德和法拉第。

为了达到这个目的，陶行知亲自带头，给自己的师友、弟子甚至孩子写信推荐《儿童科学丛书》。1931 年 11 月 6 日，陶行知给他的次子陶晓光和三子陶刚"问真、探真两位小宝宝"写信说，送给他们《儿童生活》《儿童科学》，引导他们"去玩科学的把戏，做科学的实验，努力向科学树上攀，攀得高高的，把那肥大的果子摘下来给全世界的人吃，不要只顾自己吃得一肚饱，忘了树底下的民众，要做国家有智慧，有实力，有责任心的国民”。

为了进一步推动“科学下嫁”运动，陶行知还于 1932 年 5 月在上海创办了函授性质的儿童科学通讯学校，聘请专家担任指导员。该校的创办宗旨是“造就科学的儿童、科学的民众、从而造成科学的民族，以适应科学的世界”。陶行知在招生启事中讲到：“20 世纪的世界是一个科学的世界。在科学的世界里，只有科学的国家才能存在。我们必须使中华民族具备科学的本领，成为科学的民族，以适应现代生活，生存于现代世界。但是科学要从小教起，我们要想造一个科学的民族，必得要加工培植嫩芽的儿童。本校感觉儿童科学教育之重要，特发起创立，期使科学的民族早日产生。凡爱好科学的儿童与有志指导儿童学习科学的教师和家长，均请报名入学，共同研究，共同实验。”

1932 年 5 月，在陶行知及国内外舆论的强大压力下，国民党政府被迫于 1932 年夏，由教育部出面，要求南京市教育局“发还”晓庄学校。

陶行知喜出望外，准备筹办晓庄复校。他打

算招收教师，共同研究儿童科学，希望短期内大量训练出儿童科学教师，以培养科学的儿童，建设科学的中国。为此陶行知开列了十门培训课程，分别为：儿童的生物、儿童的物理、儿童的化学、儿童的天文、儿童的地球、儿童的几何、儿童的农艺、儿童的工艺、儿童的生理卫生和儿童的科学指导。课程几乎涵盖了理、工、农、医、天文等近代自然科学的所有大类，而且每门课程都要求是“儿童的”，也就是说，教师要知道和掌握什么样的科学知识内容和形式是儿童易于接受的，教师首先要“都先变成小孩子”，在思想和行动上都化成孩子，把全副身心都投入进去，使得科学知识易于“下嫁”。

但好景不长，国民党政府拒绝归还图书、仪器、设备、文件等，而且派出警察抢占学校，强迫教师离开学校，晓庄最终没能复校。与此同时，1935 年，因为经济困难，儿童科学通讯学校也没能继续办下去。

从提出“科学下嫁”到亲自实践，虽然运动没有持续多长时间，但它的影响是非常深远的，这次运动既是继五四运动之后在中国开展最早、规模最大的一次科学传播实践活动。在编写科学系列丛书的过程中，以高士其、董纯才、方与严、王洞若、戴伯韬、丁柱中、陶宏等一批骨干为核心的科普作家就此崭露头角，尤其是著名科学家高士其，在后来的《怀念陶行知先生》里专门写诗：

> 你鼓励我从事科普创作，
> 今天我能有这样的收获，
> 都是受你的影响，
> 都是来自你的教导。

在陶行知和诸多大家的努力下，一粒粒科学的种子已经播在中国孩子们的心中。

首建工学团　独创“小先生”

晓庄复校无望，山海工学团却应运而生了。

1932 年 5 月 21 日至 8 月 15 日，陶行知在《申报》副刊“自由谈”上发表著名教育连载小说《古庙敲钟录》，小说塑造了“靠自己动手种田做工赚饭吃”，又有一定文化知识的“一品大百姓”；还塑造了“不教死书”，能解答农民所需的科学种田等各种问题的先生；提出的办学方针还是燕子矶乡村幼稚园的方针——“来者不拒，不来者送上门去”。

在这篇小说快结尾时，陶行知提出了将古庙学校改成工学团的意思，首次提出以工学团代替传统的农村学校教育。1932 年，他在上海宝山大场创办“山海工学团”，掀起了富有时代意义的，影响波及十多个省市、解放区，直至东南亚的工学团运动。“山海”被人们称作是“天下第一工学团”。

为什么叫山海工学团这个奇怪的名字？在陶行知看来，一是因为当时所处之地位于宝山、上海之间；二是因为“九一八”事变以后，山海关危急，取名“山海”有共赴国难的意思。所谓工学团，工就是做工，工以养生，靠自己生产劳动来养活自己；学，就是学习，学以明生，学习社会科学和自然科学；团，就是团结，团以保生，大家团结起来，保卫自己生存权利。之所以称“团”而不是学校，陶行知认为，团有团结的意思，中国社会一大弊端就是人心涣散，如一盘散沙，缺少凝聚力，他希望集团的生活可以凝聚人心，发挥出每一个人的创造力。在陶行知的计划里，乡村儿童工学团由儿童组成，乡村青年工学团由乡村青年组成，老年人有求学精神者就参加青年工学团。乡村工学团要实施 6 大训练：

1. 普遍的军事训练；
2. 普遍的生产训练；
3. 普遍的科学训练；
4. 普遍的识字训练；
5. 普遍的民权训练；
6. 普遍的生活训练。

陶行知要求，乡村工学团的主体不是别人，就是当地农人，是靠自己双手吃饭的人。

1932 年 10 月 1 日，上海大场的孟家木桥儿童工学团成立，标志着陶行知的工学团教育正式开始，宝山教育局为其备案的名字是“山海实验乡村学校”。由此可以看出，工学团就是晓庄学校的延续，只不过受教育者的范围更大了，还兼有半工半学的性质。这就是陶行知，自始至终，他都是在为农民朋友着想。

办学的战场从南京转移到了上海，依然面临着许多困难。尽管身处上海郊区，但农民中读过书的人很少，七八里路内难找到一所学校，十二三岁的孩子大多还不上学。工学团建立之初同晓庄师范学校一样，来的学生只有十几人。

但陶行知并不气馁，如同当时办晓庄一样，他豪情满怀，还写了一首诗表达他办“山海”的决心：“弄东一弄东、乾坤属儿童，我们是真理的传播者，瞄准乡村向前冲。”不仅如此，他还把自己的孩子也带过来。长子陶宏、次子陶晓光都在自然学园里做事、学习，三子陶刚也加入了山海工学团，可谓全家总动员。

“过什么样的生活，就办什么样的教育。”工学团成立后可干了不少好事。第一件事是设立诊疗所，请著名的苏德隆医生担任医学指导，免费为农人服务，这在当地引起了巨大轰动。不仅如此，为了方便农人交通，工学团牵头修筑通往沪太路的大路，全长 548 米，宽 8 米。此外，开设木工工艺，师生学木工，木工学文化；开展文娱活动，每周举行 1 次工学团与农民的“同乐会”，使师生农友欢聚一堂，增进了解和友谊。陶行知还会在“同乐会”上向学生和农友讲解一些天文地理知识，并带领师生到高士其的实验室去参观，让他们了解科普知识。①

1933年，沈家楼成立了棉花工学团，当时沈家楼主要种棉花，陶行知带农民参观宝山农教馆，让大家看到优良棉种“斯字棉”的好处，告诉农民改变原来的播种方式。但农民就是不信，非要坚持老祖宗传下来的“散播”。陶行知没有埋怨农民的“不识时务”，反而募捐来条播机，亲自操作示范，用汗水和真诚感动了大家，农民信服了科学种田。当年秋天，棉花获得大丰收，棉花的产量提高了，品质也上了好几个等级。棉农的收入普遍增加。农民们对陶行知千恩万谢、感激不尽，对他无比尊敬。第二年，周边的村民纷纷请求陶先生到他们村庄上去办工学团。

1934年夏，上海遇特大旱灾，农民天天向龙王求雨。陶行知奔走在上海各处，终于募齐款项买了两台抽水机，庄稼得救了，农民们奔走相告：直呼陶先生是活龙王！

田里增加了产量，农民生活得到改善；日常相处中，农民处处受到照顾、尊重。学生上午上

---

①引自《天下第一工学团》，新民晚报2011年12月4日。

课，下午参加农业劳动，半工半读，每月还可得补助费10元。这样的学校，从农民的需要出发，从农民真正的需要出发，不强迫，不蔑视，重鼓励，多引导，用改良的手段来改造社会，当然受到欢迎，学生人数一天天增加起来。到山海工学团开办1周年时，学生已有300余人。

更重要的是，经过一段时间的宣传解释，尤其是在看到工学团的办学实践后，许多农民感受到陶行知的真心实意，明白了这是为穷苦人和儿童办的学校，是为他们服务和谋福利的一个团体，纷纷加入进来。小孩送进育儿所；青年上夜校；妇女进袜工场……各有各的去处和场地。

学生越来越多，陶行知把工学团分散到农民家里办，不久，在团部周围14个村庄，陆续办起了红庙、彭浦、曹泾浜、北孙宅、大桥头、沈家楼、肖场、夏家宅等8个工学团，第一批学生成了这些团的团长。工学团的影响越来越大，后来在市区也办起了工学团，如报童、流浪儿工学团等，最特别的是在北新泾镇陈更村的晨更工学团，借“陈更”的谐音取名“晨更”，陈更村距离上海城区很近，是工人、农民、店员聚居之地，于是便办了幼儿院、小学、特别班、农民识字班、工人识字班、店员识字班，成了中国共产党在白区的工作据点。

工学团没有固定的老师，大部分都是临时、短期来帮忙的，但都是当时的大家：艾思奇讲哲学；沈钧儒讲法律；田汉指导话剧；金山、金焰、崔嵬、舒绣文、安娥等来讲学、演出；邹韬奋、沙千里、章乃器、贺绿汀、钱俊瑞、麦新、孟波、金仲华、薛暮桥、聂耳、冼星海等都曾来讲学，可谓盛极一时。

或许有人会问，工学团教师毕竟以兼职为主，钱不够了，还可以募捐到，但是老师不够，往哪里“募捐”？不过很快，陶行知就有了新的创意——“小先生制”，这个创意影响中国教育非常深远，解决了中国教育的大问题。

为什么会有这个创意，得说起新安小学，那是陶行知还在担任南京晓庄师范学校校长的时候，应江苏省淮安县徽州同乡会和莲花街群众的要求，派出晓庄师范学生李友梅、吴辅仁、兰九盛去淮安，利用新安会馆的馆址，办起了一所新型的学校——新安小学，陶行知兼任校长，新安小学成为晓庄师范特约学校。

学校里面的东西太少，如果把社会变为学校，“人人可以做我们的先生，人人可以做我们的同学，人人可以做我们的学生。随手抓来的都是活书，都是学问，都是本领”。1933 年 10 月，为了实践生活教育的主张，校长汪达之（也是陶行知的学生）有了一个想法让学生组建旅行团，让他们到当时的十里洋场大上海去闯荡一番。

这是一次震惊朝野的旅行，新安小学有 7 个基本学生（即学习、劳动、住宿都在学校的学生，另外还有走读的普通学生），第一次组成了“新安儿童旅行团”，到上海等地去旅行了 50 天。旅行团在上海的行程与活动计划，陶行知亲自做了安排和布置。1933 年，他们参观了天厨味精厂、国营棉纱厂，到光华、大厦等中学和大学演讲，访问上海山海工学团、商务印书馆，到棚户区了解了工人生活。11 月 1 日，他们还到当时的上海新陆师范参观、卖书、演讲，卖书收入了十多元。他们参观了各种工厂、码头、工人住宅区、学校、文化机关，了解地理、历史、风俗、人情，学到了许多只在学校“死读书”所学不到的知识。

这个我国教育史上第一个组织的儿童旅行团，所到之处很受欢迎。而这些十几岁的小朋友，毫不胆怯，落落大方，还站在大夏大学、光华大学、沪江大学讲台上，进行爱国演讲，轰动了上海的教育界，所到之处，中外媒体都进行了报道。一位听过演讲的教授甚至说："孩子们的演讲太精彩了，把我们教授的饭碗都打破了。"

在给汪达之的信中，陶行知称赞这次实践是"新时代无价之宝"，还作了一首诗来进行歌颂：

一群小光棍，数数是七根。
小的十二岁，大的未结婚。
没有父母带，先生也不在。
谁说小孩小？划分新时代。

如果说儿童旅行团让陶行知看到了孩子们行动产生的巨大效果，那么接下来的几件事情让他看到了儿童身上的巨大潜力，而这也正是"五四"以来新文明的成果：发现儿童，发现他们身上的精神和活力。

"人生两个宝，双手与大脑……手脑都会用，才算是开天辟地的大好佬。"朗朗的诵读声从晓庄附近的佘儿岗学校一座阴暗潮湿的破庙中传出来。这所学校可真奇怪，讲台上没有老师，一个年龄稍大的“小先生”在带大家读书。这是怎么回事呢？

原来，1930 年，晓庄学校遭到“查封”，30 多名师生被捕，14 名优秀共产党员遇难，陶行知流亡日本，晓庄小学被迫停办，晓庄的孩子们失学了。

得知陶行知回国后在上海乡下办了个“山海工学团”，失学的孩子们可兴奋了，其中一个孩子胡同炳给陶行知写信，希望能来“工学团”学习。陶行知很快回了信：“你们来了，但你们的同学怎么办？晓庄有成千的孩子怎么办？为了你们都可以上学，我教你们个办法，那就是自己干，会的教人，不会的跟人学，边教边学，这样不是一所很好的学校吗？”同时，陶行知还写信请当地的农民朋友帮助孩子们办学。

就这样，在同长辈们商量之后，孩子们和晓庄当地的村民开始筹备办学。1932 年 9 月 4 日，一所别开生面的学校——由农民做校董，由孩子当先生的南京佘儿岗儿童自动学校在一座长生庵的破庙里开学了。胡同炳、沈广鑫、余作霖、陈云金、陈云森、唐凤钊、唐凤岐、陈仪珍、唐石玉、尹玉贞等10个孩子成为首批小先生，胡同炳还是学校的负责人，10名有声望的农民成立了校董会管理学校，帮助“小先生们”办学。

82位失学的孩子用着农民自己制作的课桌板凳，读着陶行知编写的课本，深知机会的来之不易，因而人人刻苦学习，精心备课，专心听讲。10位“小先生”还带领孩子们走出学校，开办夜校。那些不识字的爷爷、奶奶、爸爸、妈妈、哥哥、嫂嫂以及附近放牛、砍柴、拾煤球、扒狗屎的穷苦同胞都成了小先生的学生。

陶行知在上海得知这些情况，写信附诗赞赏道：“有个学校真奇怪，小孩自动教小孩。七十二行皆先生，先生不在学如在。”为鼓励大家克服办学的种种困难，陶行知还写了两首歌送给孩子们，一首是《自立歌》：“滴自己的汗，吃自己的饭，自己的事自己干。靠人，靠天，靠祖上，不算是好汉。”一首是《头脑相长歌》：“人生两个宝，双手与大脑。用脑不用手，快要被打倒。用手不用脑，饭也吃不饱。手脑都会用，才算是开天辟地的大好佬。”

儿童自动学校和新安旅行团，坚定了陶行知依靠“小先生”推行普及教育的决心。1934 年 1 月 28 日，陶行知在普及教育总动员大会上提出小先生制，让学生来教学生，从而破解普及教育师资不足的难题。与此同时，这次大会还成立了山海儿童社会。由“小先生”张健、沈增善、张顺根、陆德森、马善业、沈柏生、俞文华、张耀祖等 8 人组成执行委员会。张健为委员长，沈增善为副委员长。山海儿童社会组成小先生领导小组，担负起教学等社会活动工作，团结附近 32 个村庄的少年儿童，教他们读书识字学习文化，还为农民办起了夜校。

此后，陶行知便为推行和宣传“小先生制”四处奔走，并创作《小先生歌》：

我是小学生，变作小先生，粉碎那知识私有，要把时代儿划分。

我是小先生，教书不害耕，你没有工夫来学，我教你在牛背上哼。

我是小先生，看见鸟笼头昏，爱把那小鸟放出，飞向森林投奔。

我是小先生，这样指导学生：学会了赶

快去教人，教了又来做学生。

我是小先生，热心好比火山喷，生来就不怕碰钉子，碰了一根化一根。

我是小先生，要与病魔斗争，肃清苍蝇与疟蚊，好叫人间不发瘟。

我是小先生，填平害人坑，把帝国主义推倒，活捉妖怪一口吞。

此歌词后经赵元任谱曲，也随着“小先生”运动的广泛开展而流传开。

当然，小先生也需要不断充实和提高。为了解决这个问题，陶行知专门创办山海艺友班，请来艾思奇、董纯才等人，系统提高小先生们的文化知识和教书能力，方便他们更好地教别人。

正是在读书、教人的过程中，一批小先生脱颖而出。1933 年 10 月 1 日，恰逢山海工学团周年纪念日，世界人民反帝大同盟代表马莱将军参观“山海”，陶行知指定 13 岁的小先生张健致欢迎词并参加座谈。座谈会上，马莱说：“英国对于日本侵略中国非常气愤，支持中国人民抵抗日本侵略的。”张健当即对他说：“英国支持中国反对日本侵略是对的，但英国政府并不是支持中国人民，而是支持国民党政府镇压中国人民的革命活动。”张健向马莱介绍了当时上海英租界工部局支持国民党捕杀中国共产党人的事实。张健的慷慨陈词，竟使马莱无言对答。这就是著名的“小张健舌战马莱”的故事。

还有新安旅行团里的诸多出类拔萃的人物：“小作家”范政、左义华，十一二岁时，就创作出版了《海外一课》《义华日记》等书，十五六岁就在苏北抗日根据地主编《儿童生活》等刊物；“小画家”王德威，十一岁参加新旅时学画。十四五岁开始就参加《儿童生活》的美术编辑，并先后主编《儿童画报》和《华中少年画报》，后来成为全国知名的画家。新安旅行团一贯吃苦耐劳的“好后勤”，担任过盐阜区儿童团副总团长的刘海俊，参军后在解放战争中因作战勇敢，被奖为华东战斗英雄。①

“小先生”真的那么管用吗？尽管陶行知极力推广，但还是有很多人报以怀疑的态度，有些人虽然看到了效果，但真要在实践中去推广却又有

①引自《陶行知先生与新安旅行团》韩枫、李楠，《行知研究》1981 年。

所保留。怎么办？善于讲道理的陶行知还是用老办法，通过写文章《小先生与民众教育》，来讲明用小先生普及教育的益处。

用小先生普及教育，还有四点比大先生好的地方。

其一，中国最难普及的是女子教育。乡下十七八岁大姑娘，或是二十几岁的大嫂子，一位年轻的男先生去教，乡下人是看不惯，不欢迎你去教的，即有较开通肯受教了，不多时，谣言来了，女学生不敢上学了，甚至把学堂封掉了，男先生失败了。女先生去教固然是很好，可是女先生太少了，而且女先生大都是些少奶奶、小姐，肯下乡的真是难得。有勇气下乡的怕蛇，怕鬼，怕小偷，又吓跑了。如果是男校长请女教员，那又有困难问题。夫妻学校最好，可是又太凤毛麟角，少之又少了。现在小先生来了，女子教育就如雪团见太阳，一见冰消，问题一笔解决。广东百侯中学有三百小先生，教二千多民众，其中女人就有一千五百人之多，由此可见小先生对普及女子教育问题解决之一斑。

其二，有人说，中华民族现在是衰老了。我

推究其原因虽多，但有一个原因，便是被人教老了。六岁小孩子，大人就教他要“少年老成”，而这小孩子也就无形中涂上两个八字胡须，做个小老夫子了。我有一个大学毕业的学生，他到一个女子中学去当教员，可是年纪太轻了，很不为人敬重。后来教员不当，找了一件别的事做，便养成一嘴胡子来，本来是个美少年，一变而为美髯公，因此很受人敬重而做了许多年的事。所以中华民族衰老，便是社会教人变老，教小孩子做小老翁。用小先生教人便不同了，大人跟小孩学，无形中得到一种少年精神，个个变为老少年。本来大人者，不失其赤子之心者也，这样一来，朝气必格外勃勃。前天在上海西区小学开小先生会，有一位小先生教一个八十三岁老太婆。又有一位孩子，教其德国母亲认中国字，写的故事均非常生动有趣。南京有一个丁广生小先生，教他父亲。他父亲有一天用笔画一个乌龟，画一角菱角。小先生不懂，问他父亲什么缘故。他父亲告诉他说：“我画着玩的，这意思是说：菱角怕乌龟，乌龟爱菱角。”后来丁广生便把这几个字写出来教他，父亲读得非常有趣。前天下午两点半钟，我未吃午饭，正想出去买两块烧饼充饥时，忽接西桥小先生来的信，我便坐在门外一个竹椅上拆开来看：有一位小先生教他六十二岁的祖母。他的祖母能读能认不能写字，小先生便代祖母口里说的意思写信给我，精神非常好，我看得饭也忘记吃了。在这许多故事中，可以看出中华民族可以因小先生而转老还童，而得一种新兴的少年精神。

其三，刚才我已经说过，过去甚至现在，教育是被少数有钱人把它当为私有财产占有。小先生一出来，“即知即传人”，立即把这种观念撕得粉碎，要知识公有，不再私占。要把教育化为“春风风人，夏雨雨人”一样，人人有得到沾施的机会。“天下为公”的基础，第一步便要知识公有，这一点小先生是可以帮助我们，一个钱也不要花的做到。

其四，一般乡村小学要和学生家庭联络，很多困难，教师感觉孤立，学校感觉单调。利用小先生那便好了。小先生是一根根流动的电线，这一根根电线四方八面伸展到社会底层构成一幅生活教育网、文化网，把学校与家庭构成一体，彼此可以来往，可以交通。它把社会所发生的问题，所遇到的困难，带回学校，再把学校里的知识技能带回社会去。这样一来，如有一位教师，三十位小学生，而这三十位小学生便是三十位小同志，教师不再孤立，学校也不再和社会隔膜，而能真实地通出教育的电流，碰出教育的火花，发出教育的力量。训练班诸位同学，现在最要紧的一件事，便是“怎样把小先生的办法得到?”“怎样把学校教育与社会教育打成一片?”将来到一处办民众教育馆，最要紧的，便是要和当地的小学校联络，私塾联络，店铺里的能看报的掌柜联络，要发动他们都负起教人责任，即知即传人，共同普及教育。还有一点，办民众夜校，开学后学生只见少而不见多。我们也得要教学生去做先生教人，譬如有四十位学生，我们教他们每人回去教二个人，这样便一共有一百二十位学生了。这样成人做先生，我们不叫他“小先生”，叫他做“连环先生”或“传递先生”，因为他是要继续不断地循环着，学后去教人。最后我还有几句话要向诸位贡献。

我们现在办民众教育必得要承认：

农人最好的先生，不是我，也不是你，是农

人自己队伍里最进步的农人！

工人最好的先生，不是我，也不是你，是工人自己队伍里最进步的工人！

小孩子最好的先生，不是我，也不是你，是小孩子队伍里最进步的小孩子！

在陶行知看来，“小先生制”是同实现国家现代化联系在一起的。普及教育运动的最终使命，就是要把现代文明这把钥匙为普通民众拥有。而提倡“小先生”运动恰是能把失去受教育机会的人“一起赶上时代的前线”的有效办法。陶行知坚信，“小先生”运动，是适应中国国情的。

事实是最好的证明。20 世纪三四十年代，在苏区的“扫盲运动”中，徐特立正是借鉴了“小先生制”的做法，提出“以民教民”“互教互学”的群众路线教学法，为陕甘宁边区的教育事业做出了巨大贡献。而在新中国成立后，许多地方的学校依然在沿用“小先生制”的做法。

1937 年 7 月 7 日，抗战正式爆发，此后的“八一三”战事迫使山海工学团暂停，但工学团培养的人并没有四散逃离，小先生们走上了抗日战场，农友们投身到了抗日的洪流中，他们拧成一股绳，团成一股力量，如山一般英勇，如海一般汹涌，为国家兴亡而战，为民族尊严而战。

发起国难教育　凝聚抗日力量

陶行知不仅是伟大的人民教育家，更是一位伟大的爱国主义者。

1931 年的中国，爆发了“九一八”事变，日军迅即侵占我国东北三省。在民族生死存亡的抗日战争时期，受抗日救亡运动蓬勃掀起的感染，陶行知极力宣传抗日救亡，在《申报・自由谈》上多次发表文章，涉及政治、哲学、经济、军事、历史、科学、文学、教育等方面，也有大量宣传抗日和批评国内外政策的时评文章。

感叹于政府当局的软弱无力，陶行知越来越坚信，只有相信老百姓，争取多数爱国力量，孤立少数顽固不抵抗者，才能形成联合抗战的思想和策略。为此，他积极倡导日益兴起的民众抗日活动：“外患之有，是一个民族的唯一的试金石。如果我们要知道一个民族已否创造成功，只消在外患压来的时候，看它有什么反应，便能一目了然……上海有人发起援助东北义勇军，和上次东南人士募捐接济黑军抗日，在中华民族发达史上都是重要的事实……这次援助东北义勇军是更有意义，因为东北义勇军是纯粹人民的武力，发挥出真正的民族精神。各地方同民族的人互以实力援助，断然比那空洞的同情心进一步了……不抵抗的军阀是背叛民族精神，便是背叛中华民国。全国人民应该立刻奋起与东北义勇军站在一个战线上，扫除割据的军阀，驱逐横暴的日军，恢复已失之国土主权，以完成中华民族创造之重大使命。”

随着抗日救亡运动的不断开展，陶行知开始思考教育与救亡的关系。

1932 年 8 月 30 日，陶行知在上海沪江大学演讲时提出：“我们要对付国难，就须以教育为手段，使我们的力量起了变化，把不能对付国难的力量，变成能够对付国难的力量，这才能达到目的。”

战争来了，教育能做什么？陶行知逐渐认识到教育的真正使命就是以民族的生命为生命，国难教育是要教人救民族之命。他提出要普及大众教育，使受教育者都能实践力行地组织起来，这样才能造成伟大的民族力量，解除一切国难。陶行知反对将教育与救国割裂开，“为教育而教育，不许行动的教育，乃是加重国难的教育，而不是解决国难的教育”。他主张大众教育要在行动上接受民族解放的理论和计划，提出读书就是要读可以救国的书，而且要把这些书里的真理拿出来实行救国。①

为此，1934 年 7 月 16 日，陶行知在《生活教育》半月刊上发表文章《行知行》公开声明，自此，陶知行正式改名为陶行知，直到去世。他在文中阐述了自己改名的理由。

谢育华先生看了《古庙敲钟录》之后对我说：“你的理论，我明白了，是‘知行知’。知行底下这个知字是安得何等有力！很少的人能喊出这样生动的口号。”我向他表示钦佩之意之后，对他说：“恰恰相反。我的理论是，‘行知行。’”他说：“有了电的知识，才去开电灯厂；开了电灯厂，电的知识更能进步。这不是知行知吗?”我说：“那最初的电的知识是从哪里来的？是像雨一

---

①引自《陶行知与救亡运动中的国难教育》，李若辰，《联合时报》2015 年 7 月 10 日。

样从天下落下来的吗？不是。是法拉第、爱迪生几个人从把戏中玩出来的。说得庄重些，电的知识是从实验中找出来的。其实，实验就是一种有目的、有计划、有组织、有步骤、有创意的把戏。把戏或实验都是一种行动。故最初的电的知识是由行动中来。那么，它的进程是‘行知行’，而不是‘知行知’。”

“既是这样说，你就应该改名了。挂着‘知行’的招牌，卖的是‘行知’的货物，似乎有些不妥。”

改名！我久有此意了。在二十三年前，我开始研究王学，信仰知行合一的道理，故取名“知行”。七年前，我提出“行是知之始，知是行之成”的理论，正与阳明先生的主张相反，那时以后，即有顽皮学生为我改名，常称我“行知吾师”。我很乐意接受。自去年以来，德国朋友卫中先生，即傅有任先生，每每欢喜喊我“行知”。他说：“中国人如果懂得‘行知’的道理而放弃‘知行’的传统思想，才有希望。”近来有些人常用“知行”的笔名在报纸上发表文字，我不敢夺人之美，也不愿代人受过。本来，“知行”二字，不是我姓陶的所得据为私有。我现在所晓得的，在中国有黄知行先生，熊知行先生，在日本有雄滨知行先生，还有几位无姓的知行先生。知行队中，少我一个，也不见得寂寞，就恕我退出了吧。我对于二十三年来天天写、天天看、天天听的名字，难免有些恋恋不舍，但为求名实相符，我是不得不改了。

陶行知从来都是一个实干家，不仅用文字宣传抗战和国难教育，还积极投身抗日救亡运动。1935 年 12 月 27 日，上海文化界救国会在上海成立，陶行知、沈钧儒、邹韬奋、章乃器等 35 人被选为执行委员，陶行知兼任教育委员会主任。大会发表的《上海文化界救国会第二次宣言》提出了“停止一切内战!”“武装全国民众”“释放一切政治犯，共赴国难”等八项政治主张；并分别向教师、新闻工作者、作家提出要求，明确提出“反对文化统治，反对文化界汉奸!”“全国文化界联合组成救亡的统一阵线，领导民族解放运动”。

国家有难，教育人责无旁贷。在上海教育界的救国团体纷纷建立之时，陶行知说：“现在是教育与国难赛跑，我们必须让教育追上国难，让教育帮助解决国难。”他与左翼教育工作联盟的王洞若、丁华、张劲夫等人，共同研究起草了《发起国难教育社缘起》。1936 年 2 月 23 日，国难教育社正式在上海成立，陶行知被选为国难教育社社长，曾经的上海工学团团长张劲夫被推选为总干事。

国难教育社成立以后，在沪西、沪东、闸北、沪中、南市、浦东、大场等地区建立区团和社区团，并在沪东、沪西、闸北、浦东等地开办工人夜校、识字班和训练班等，积极开展抗日救亡活动。

国难教育社的具体工作，深深烙上了“晓庄”的印记，如开办大众学校、读书会、时事研究会；开办新文字补习班；开办国难教育讲习班；举办军事、防毒救护、运动用交通工具等常识技术讲习班；举办国难演讲、旅行演讲；组织巡回电影开映团、巡回演讲团、巡回唱歌团、巡回戏剧团、弄堂流通图书馆、马路流通图书馆、乡村流通图书馆；出版大众社会小丛书、大众自然小丛书……在当时产生了非常积极的影响，凝聚了人心，鼓舞了斗志。

此时的陶行知并没有忘掉自己的“生活教育”论，而是不断地丰富、完善它。1936 年 3 月，陶行知在《生活教育》杂志先后发表《国难教育方案之实质》和《生活教育之特质》两篇论文，对生活教育作出了新的解释，他说，当前的“生活”是国难当头，整个中华民族除了反抗敌人的侵略，没有法子可以获得民族解放，除了流血不会获得民族自由。他把当前的国难教育任务和自己的生活教育理论联系起来，把大众共赴国难的生活作为教材，改变了过去把日常生活作为教材的基本立场。

陶行知认为，国难教育在于唤醒大众组织起来救国。教育大众是当前国难教育，也是生活教育的第一件大事。不许大众救国的教育是亡国的教育，不是救国的教育。

在《生活教育之特质》一文中，陶行知提出，真的生活教育特质是生活的、行动的、大众的、前进的、世界的和有历史联系的。总之，他把生活教育和国难教育合为一体，表明生活教育、教学做合一的理论和国难教育的任务的一致。

上海临清学校是国难教育社的活动中心，学

校专门组织孩子歌咏队，排演儿童剧，从沪东唱到沪南。1937 年抗日战争爆发后，临清学校孩子歌咏队扩大为孩子剧团。这个剧团以抗日戏剧、歌咏为武器打击日本侵略者，成为当时著名的抗日宣传队伍。

不仅学校行动起来，就连工人也行动起来。陶行知的学生、上海晨更工学团团长徐明清还在当时的上海英美烟厂三厂组织了中午读书班，利用中午吃饭的一个小时休息时间在临近小学教女工识字，小先生轮流讲课，采取半小时识字、半小时演讲的形式，或讲解时事政治，或教唱进步歌曲，激发了女工们浓厚的学习兴趣。陶行知非常支持这个读书班，他不仅免费赠送教材《平民千字课》，还亲自来授课，很快学生发展到 180 多人。这些女工此后积极参与罢工游行和抗日救亡运动，成长为一支重要力量。这个经验后来被陶行知写成文章，编入《人民教育运动》一文，寄给印度圣雄甘地，甘地还将其发表在印度《民族旗帜》杂志上。

更有感召力的是，小先生们也行动起来，成为抗日队伍中非常重要的一员。继 1933 年到上海积极宣传抗日后，新安旅行团在1935年10月10日再次来到上海。14个孩子每人一身单衣、一双草鞋、一把雨伞和一只行李袋，打着三角蓝色的团旗，带着一套“德发牌”无声电影放映机、几部黑白无声抗日影片和数十张抗日救亡歌曲唱片，从淮安出发，历经17天，足迹22个省份，行程50000里。孩子们铿锵有力地宣誓：“志愿参加本团生活，誓以忠诚谋团体生活发展，为‘生活教育’努力，为民族生存奋斗！”

不得不提的是，孩子们带的“德发牌”无声电影放映机，是陶行知用本来要安葬母亲的钱购买的，不仅如此，他又从中华无线电研究所买来了发电机、扩音机和电唱机等。临出发前，旅行团在淮安连续放了几场电影，这在当时还是第一次，吸引了四面八方的人。

根据老人回忆，当时的新安旅行团还有一个有趣的规定：有钱人买票看电影，没钱的人只要喊一声抗日口号，就可以看电影。中国第一代导演蔡楚生说，新安旅行团是中国电影第一支流动放映队，他们的乡村流动放映工作是中国电影史上一段重要的历程。

以文艺为武器抗日，以文章为武器抗日，陶行知还身体力行行走在抗日第一线。1936 年 4 月 23 日，陶行知作为救国会的特使离开上海，前往广西，名义是应邀到广西民团干部学校开设讲座，实际上则是去做陈济棠、李宗仁、白崇禧的工作，鼓动他们加入抗日队伍中来。而这一天，陶行知的夫人汪纯宜因病去世。

汪纯宜比陶行知小四岁，与陶行知青梅竹马。陶行知常年为教育奔波在外，汪纯宜一直在家中默默地抚养四个孩子，付出了很多外人不知的牺牲和痛苦。1930 年，晓庄师范被查封，陶行知被迫流亡在外，一会儿有人说他被抓了，一会儿有人说他被枪毙了，本来身体就不好的汪纯宜终于不堪刺激，竟然跑到夫子庙投河自尽，幸被发现，及时救起，但身体却是每况愈下。

家中没人照顾汪纯宜，只好把她送往疗养院，结果谁也没有想到，1936 年的春天，疗养院竟然下达了病危通知书。孤苦一生、缠绵病榻的汪纯宜就这样离开了四个孩子，离开了深爱的丈夫。

听闻妻子去世的噩耗，一般人也许会选择改变行程，但陶行知强忍悲痛，没有改变行程，继续为抗日奔走呼号。他先是来到广州，应中山大学校长邹鲁的邀请做演讲，揭穿日本的“大陆政策就是要把中国一口吞下去……要我们四万万同胞当他的奴隶，还要我们进一步做他们侵略的炮灰，所谓‘中国定而东亚定，东亚定而世界大同’，他是想做世界的霸王”。

紧接着，他又在广西大学演讲“抗日救国问题”，在接受记者访问时表示“教育与抗日救国运动应打成一片……非抗日无以言救国，……救国之道，一方面，全国民众应一致团结起来，武装起来，与日本帝国主义做殊死战；另一方面，应联合全世界以平等待我真正革命之民族，去抵抗推倒侵略行动之各个帝国主义，以解除各弱小民族之倒悬，而创造一条革命的光荣的新路线”，并“希望与广西各救国同志交换一点救国意见”。

为什么不顾及家人，不是陶行知太冷酷无情，原因可以从他 7 月 16 日见到老朋友张和清所写的诗中见到端倪：

“你问吾妹安否；你问吾母康健；你问吾妻无恙；我听了说不出话来，眼泪要从心里头泻。待我再上坟时，当诉说你的挂念。他们去了也好，我率性将家庭眷恋，化作民族解放宏愿，将大地走遍，要被压迫民族，把握存亡关键，结成联合战线。”

其实早在母亲去世时，陶行知就已经十分伤心，他曾含着泪水：“母亲，文渼，纯宜，你们实在是三位最伟大的女性，实在是被我拖垮累垮的啊。”那时的汪纯宜还未去世，但缠绵病榻，陶行知或许已经预感到了这一天的到来。

其实，为了陶行知的事业而做出牺牲的又何止这三位女性？他的四个儿子同样也是被牺牲的对象，寻常人家相互陪伴的父爱他们也没有时间享受到。陶行知常年在外，与孩子们的交流通常是通过书信交流完成的。

这一点，朋友们对于他的这一做法多有指责，就连好友翦伯赞也发出了这样的慨叹：“我从来没有看见他有过自己的家庭，我从来没有听见他谈到自己的儿女，更没有听到他谈到自己的生活。”其实，身为人父的陶行知又何尝不爱自己的孩子？他亲昵地依次称呼他们为“桃红”“小桃”“三桃”“蜜桃”，他更将他们儿时的照片时刻珍藏在身边。但是陶行知给自己的压力和责任太大了，他的爱绝对不会仅仅停留在自己孩子的身上。有一天，他收到了一张母亲喂蜜桃吃饭的照片，立即便产生出了这样的联想："我要把母亲爱蜜桃的心，本着'幼吾幼以及人之幼'的精神推而远之，使凡如蜜桃的都能得蜜桃之爱护，享蜜桃之幸福。"——他的爱永远像雨露一般洒遍天下，洒遍每一个需要爱抚的孩子们的身上。①

尽管家人屡遭不幸，但陶行知依然孜孜奔波于各方，宣传统一战线，联合抗战。如同他在一首诗中所说："你说我热烈。我是一块烧得通红的煤：要把吊儿郎当的少爷烧毁，再烧毁贪图安逸的小姐。把少爷小姐的灰，堆得一堆又一堆，拌一些儿水，塑成千军万马，用嘴儿一吹，都变成活龙活虎，冒着敌人的炮火向前追，要把他们赶出华北东北才肯回。"

民间外交家　舌战得外援

1936年5月，陶行知有了一个新身份。

作为上海文化界救国领袖，陶行知被推举为

①引自《战争中的陶行知》，陈虹，《铁军·纪实》2013年第4期。

“全国各界救国联合会”常务委员和执行委员，以国民外交使节的身份，出访欧美 28 个国家和地区，宣传中国人民抗日主张，并把讲演所得酬金汇回国内，作为抗日救亡的费用。

为什么这样做，源于“弱国无外交”的局势。在民族生死存亡关头，仅靠软弱的政府外交是不行的，必须靠全体国民的努力，必须去游说各国，争取最大限度的支持。出国前，陶行知对记者说：“我要借此次国际会议，粉碎帝国主义者国际间的武断宣传，让世界公正的人士，明了中国的一切。”

这次出国与以往不一样，陶行知是带着拯救民族危亡，争取国际支持的外交任务的。

1936 年 6 月 6 日，陶行知到达香港办理出国手续，绕道出国。

也正是从这时起，陶行知的政治思想起了显著的变化，对于中国共产党的许多主张越来越赞同。1936 年 7 月 15 日，为响应中国共产党提出的“停止内战，一致抗日”的号召，陶行知与沈钧儒、章乃器、邹韬奋等发表《团结御侮的几个基本条件与最低要求》，呼吁各党各派建立救亡联合战线，要求国民党与红军停战议和，共同抗日。

此文发表后，在全国各界引起巨大反响。

逗留香港期间，邹韬奋还在香港《生活日报》刊发消息及评论：“我们要送他（陶行知），是他这次出国负有大众的使命，请陶先生把救亡联合战线的种子散布到世界各个角落里去，要把他们组织起来，成为一条保护祖国的世界战线。”

7 月 11 日，陶行知离开香港，开启了自己的抗日宣传之旅。14 日到达了第一个目的地——新加坡。陶行知在星洲励志社作讲演，特别介绍了中国的抗日斗争形势，呼吁国民党与红军和老百姓联合起来，共同抗日。他专门会见了华侨领袖陈嘉庚，希望华侨团结起来，“从此兄弟不阋墙，联合起来打东洋”。

8 月 7 日，陶行知来到伦敦，参加世界新教育会议第七届年会，在会上作了《推行“小先生制”与普及教育》等报告，将中国抗日救亡运动介绍给来自世界各国的人士，引起了与会代表尤其是印度、加拿大、墨西哥代表的兴趣，印度代表还坚决要求陶行知到印度去宣讲他的教育救国主张。

随后，陶行知又应邀与学生代表陆璀等人一

起参加在日内瓦召开的“世界青年和平大会”。大会的目的是在法西斯战争的阴影下，动员全世界青年起来反对侵略战争，保卫世界和平。虽然陶行知并不年轻，但无论任何场合，他都愿意宣传中国人民抗日救国，争取世界舆论支持的极好机会，与此同时，他用自己丰富的演讲经验指导陆璀。在他的帮助下，陆璀的发言有条有理，充满激情，扩大了中国代表团的影响，中国的抗日救亡运动也得到了更多人的了解和支持。

也正是因为在世界青年和平大会的出色表现，9 月 3 日，陶行知作为中国代表团主席，参加在布鲁塞尔举行的世界和平大会第一次会议。当时国内也有派人参加，但他们佩服陶行知的声望，公推陶行知为中国代表团主席。陶行知和与会代表起草了《告和平与中国之友》，声明“远东和平被破坏已经五年之久了，国际联盟成员之一的中国，不断地被侵略，并被利用为进攻他国以威胁世界和平的根据地。和平是不可分割的……由于侵略者无可忍耐的暴行而引起的中国民族解放运动，是一个争取民族自由的斗争，而同时也是世界上为争取民主主义而斗争的一个主要部分”。呼吁

“一切国际联盟的会员国，都有援助中国反对侵略者的机会”。

会上，陶行知激情四射、慷慨激昂，向各国代表介绍了日本帝国主义破坏远东和平、侵略中国的滔天罪行，以及中国人民不畏强暴、开展抗日救亡运动的悲壮事迹，呼吁国际社会给予切实可靠的援助。他的发言赢得了与会者的热烈掌声，博取了广泛的同情和支持。会议期间，陶行知还征集维护东亚和平的签名，强调要用国际条约制裁侵略，积极倡导太平洋集体安全。经过中国代表的努力，仅两三天时间就征集到数百名外国朋友的签名。陶行知也由于表现突出，被推选为世界和平大会中国执行委员。

十几天的时间，陶行知接连参加了三次重要的国际会议，且表现非常出彩，可谓是天生的外交家和演讲家。虽然没有国民政府的授衔，但他为国民外交工作殚精竭虑，使中国人民反侵略的悲壮行动得到了国际社会的广泛关注和支持。

不要以为陶行知这就打道回府了。

9 月 12 日在巴黎华侨各界欢迎会上演讲“联合奋起，抗日救亡”。

9 月 15 日会见旅德华侨代表。

9 月 18 日参加巴黎中国学生会召开的纪念“九一八”事变大会并演讲。

尤其是 9 月 20 日这一天，由陶行知等人倡议的全欧华侨抗日救国联合会在巴黎召开，英、法、德、瑞士、荷兰等国侨胞代表及各地来宾 400 余人与会，旅居比利时、苏联、意大利和土耳其各国的侨胞也纷纷来函来电表示祝贺和拥护。

为什么会有这个盛会，源于在争取广泛国际援助的同时，陶行知还鼓励和推动华侨支持抗战。当时的欧洲华侨虽然普遍愿意抗日救国，但派别林立，多有分歧，缺乏联系，为此陶行知与陆璀、钱俊瑞等人在世界和平大会结束后便来到法国巴黎，提议在巴黎举行全欧华侨抗日大会，号召全欧华侨不分党派、不分信仰，共同聚集在抗日救国的大旗下。

在这样一个国际舞台上，陶行知再次强调：一要停止内战，二要反对包办，三要求大众联合起来，四要有真的准备，五必须抵抗，六要宽容，七要防挑拨，八要有好意的批评，九要坦白，十要在战斗上取得联合，十一作战和团结的中心是打倒日本帝国主义，十二要给战士吃饱。为了适应演讲的形式和听众的实际，他还即兴创作并朗诵了一首大众诗《中华民族大团结》：

人人都说要救国，
最是包办要不得！
包办包成大光棍，
光棍如何能救国？
人人都说要救国，
只有大众能救得。
大众一起联起来，
方能创造新中国。

每讲到一处，他就用类似的诗歌来表达，幽默风趣，受到与会代表的热烈欢迎。对于这次盛会，海外的华侨报刊都予以高度评价，当时巴黎出版的《救国时报》称赞这次大会是“空前盛事”，“不仅为旅欧华侨之重要事件，且为我全体中国人民救亡运动之一重要事件”。

这个民间外交家的行程比谁都繁忙，这种“自我摧残”式的演讲只有一个目的：让世界知道中国，让中国走向世界。

1936年10月，陶行知一行来到伦敦。英国是马克思主义诞生的源头之一，来到这里，拜谒马克思墓成为陶行知的最大心愿。10月30日，陶行知与陆璀瞻仰了马克思墓，当天写下《马克思墓》短诗：

> 光明照万世，
> 宏论醒天下。
> 二四七二八，（马克思墓的编号）
> 小坟葬伟大。

此后1938年，他又两次拜谒马克思墓，充分证明了他对共产主义信念的坚守和信奉。

11月9日，睽违20年后，陶行知来到了自己曾经的留学地——美国。考虑到美国在世界、在抗日方面的影响力，“全国各界救国联合会”要求陶行知在这里多待一些时间，多做一些工作。为此陶行知在美国停留了一年多，直至1938年6月才离开。

这一年多的时间，风雨波折不断，陶行知发现美国人对日本侵略中国，以及中国人民英勇抗敌的真实情况了解甚少。究其原因，主要是美国不想过多地卷入别国事务，“对远东情形也就很冷淡”。此外日本政府在各国大造舆论，混淆是非，把侵略战争说成是中日两国的贸易摩擦。陶行知了解后，充分展示了自己的演讲才能，在各种研究所、协会的集会上，就“远东问题”“中国现状”等问题进行宣讲，揭穿日本的阴谋，告诉美国民众，日本不但要占领中国东三省，夺取整个中国，还会吞并整个世界。陶行知每次演讲，都能争取到许多支持者。此后，无论到何处演讲中国抗战情形，入场和出场的时候，听众全体肃立，一致热烈鼓掌，表示对英勇抗战中的中国致最崇高的敬意，连陶行知自己都没意料到。

“七七事变”后，国共合作抗战的局面真正形成，陶行知把宣讲的工作重点从建立统一战线转向抵制日货上。他中途离开美国，到加拿大的温哥华向华人团体调查和演讲，并到加拿大国会演讲；到墨西哥进行调查和演讲并会见墨总统。在加拿大演讲时，陶行知说：“中国为之奋斗的理想和加拿大的理想是共同的，这种理想就是和平、自由、正义和民主……日本进攻的真正原因是企图独占中国的原料并得到更廉价的劳动力……中国的抗战不仅是生死存亡的斗争，它是不自由就受奴役的斗争。”

由于美国是日本主要的贸易伙伴，陶行知不断向美国各界呼吁抵制日货。

1937 年 12 月 6 日，陶行知在美国纽约拜访了老师杜威教授，二人商定发电报给甘地、罗曼·罗兰、罗素、爱因斯坦等世界著名人士，征求他们联名发电公开表示支援中国抗日，谴责日本侵略中国的野蛮行径，陶行知还草拟了《杜威宣言》：“由于日本肆无忌惮地摧毁东方文化，为了人类安全、和平和民主，我们建议全世界人民自愿地组织起来，拒绝购买日货，拒绝出售日货，拒运战争物资去日本，停止各方面与日本合作，不支持日本的侵略政策，尽可能支持中国自卫和救济的物资，直到日本从中国全部撤退其一切武装力量，停止他的侵略政策为止。”

此宣言一发表，罗曼·罗兰、爱因斯坦和罗素三人首先回电赞成《杜威宣言》，此后甘地也回电同意这项宣言，《杜威宣言》在当时的知识界和上层人士中引起强烈反响，使对日禁运、抵制日货运动得到进一步发展。由此在抗战中，中国以不屈的形象站立于世界民族之林中，让世界对中国由轻视到重视，刮目相看。

陶行知的宣传对象异常广泛，遍及美国教育、宗教、医护、劳工、科技等各界人士以及众多的社会团体。为了扩大影响，他还在哥伦比亚、旧金山、华盛顿、波士顿等城市巡回演讲。抵制日货的宣传使许多人采取了坚决的行动，有些美国人甚至未等陶行知演讲结束，就将日本领带、日本丝袜扯下来烧掉。美国许多地方还举行了群众性的抵制日货大会，洗衣馆侨胞还印制了许多“请不要购买日本货”的小卡片，放在洗好的衣服口袋里，抵制日货。

由于抵制日货，日货在美销量锐减。但陶行知并没有满足所取得的这些成绩，他认为单靠抵制日货还不够，还必须实行对日禁运，才能给日本以更大打击。为此，他与爱国华侨胡敦元、林霖等人创办了“中华经济研究社”，专门研究美日经济关系。有一次，陶行知在从墨西哥回美国的路上偶然得知，美国南部得克萨斯州加尔维斯敦有堆积如山的废铁要运往日本。他竟然冒险亲自前去考察，获得了比较准确的数字，进一步弄清美国输日的军火情况，撰写了《日本如何获得军用材料之研究》。有了证据，1938年5月4日，陶行知在洛杉矶发表演讲，有理有据地说道："日本在中国杀死一百万人的时候，有五十四万四千人是美国的军火帮助杀死的。"在场的美国参议员司各脱立即站起来发言，表示要对日本禁运，不再当日本人的杀人帮凶，并提议："凡不愿做帮凶的人，请站起来！"结果全场千人一致起立，表示支持禁运决心。[1] 此后，美国外交协会、美国国会都全文转载了该报告。

中华经济社对推动美国禁运起了很大作用，它的研究报告成为美国对日禁运的根据。其成绩的取得一方面要归功于研究社的工作人员卓有成效的工作，另一方面当然要归功于陶行知的"远见与辟道精神"。[2]

除了在美国进行国民外交活动外，陶行知还到英国、法国、德国、埃及、印度等28个国家和

---

①引自《在世界各地宣传中国抗日的陶行知》，李承勋，《文史精华》1995年第9期。

②引自《陶行知在抗战时期的国民外交活动》，朱蓉蓉，《苏州丝绸工学院学报》2000。

地区，与海外众多的抗日团体建立联系。每到一个地方，他或是演讲，或是写诗，以各种形式团结当地华侨及各阶层人士，宣传抵制日货，援助国内抗战，并把演讲、募捐所得的钱物、药品转送抗日根据地。特别是在印度，他访问了诺贝尔文学奖获得者泰戈尔，印度国大党领袖甘地。由于陶行知的努力，印度原则上允诺组织一个特委会来抵制日货。

更有意思的是，在陶行知的“国民外交”魅力之下，加拿大著名医生白求恩才有了前往中国的念头。1937 年 7 月 30 日，一次晚宴中，陶行知认识了白求恩，他特别向白求恩介绍了日本法西斯侵华的野蛮行径及中国人民浴血奋战的情况，两人由此许下了前往中国共同抗战的约定。

1938 年 8 月 30 日，风尘仆仆的陶行知到达香港，结束了长达两年零 50 天的国民外交活动。

9 月 2 日，宋庆龄女士在香港接见了陶行知，欢迎他的荣归，高度赞扬了他对中华民族解放事业和国际反法西斯运动所作的贡献！

9 月 3 日，救国会领袖之一的何香凝又在香港的寓所会见他，听他详细报告了海外华侨奋起救国的情况之后，何香凝专门作画《醒狮》，表示感谢。

紧接着，香港报刊记者蜂拥而来、各地欢迎仪式接踵而至……都只为迎接这位劳苦功高的民间外交家。

这是艰苦的历程，更是光辉的历程。

两年中，国内及整个世界抗战形势都在发生深刻的变化。陶行知亲眼看到华侨从分门别户，甚至相互打斗到统一；从个别援助到集体合作，踊跃献金救国；中国的国际地位也因抗战而得到提高，由被人轻视转到受人尊重，国际上对中国的抗战也由消极同情转向积极援助。①

两年中，陶行知七进美国、六进法国、五进英国、四进加拿大、三进德国和锡兰、二进埃及、印度和新加坡，并到过墨西哥、爱尔兰、荷兰、瑞士、意大利、奥地利、南斯拉夫、越南等国家。总计行程近 20 万公里。陶行知在海外广交各国朋友，唤醒海外侨胞，把“抗日救亡联合战线的种子散播到世界各个角落”，全力唤醒西方国家的朋

---

①引自《陶行知与抗日战争》，储朝晖，《抗日战争研究》，2005。

友，不愧为中国历史上一名出色的“国民外交使节”。①

更难得的是，这漫长的环球宣传的费用，几乎全是靠陶行知的讲学和稿费收入支付的。他是中国历史上唯一不受政府派遣，但正确地代表了中国民意的外交家，是国民外交使节，是卓越的国际社会活动家。

---

①引自《陶行知在抗战时期的国民外交活动》，朱蓉蓉《苏州丝绸工学院学报》2000 年 6 期。

第四章 提倡全面教育 创办育才学校

囊中再羞涩 办学梦不停

自从晓庄停办之后，陶行知从来没有放弃过自己的办学梦。

何时再办一所学校？

在香港停留了 3 个多月，陶行知在港期间对记者发表了他回国要做的三件大事：“一是创办晓庄研究所，培养高级人才；二是办难童学校，收容教养在战争中流离失所的苦难儿童；三是创办港九职业补习学校，动员华侨抗日。”为了实现第一、第二件事，他在香港召开晓庄学院校董会议，讨论创办育才学校并制订相关计划书。由此，在中国教育史上有着特殊意义的“育才学校”在香港孕育出来了。

尽管没有钱，但陶行知说：

“无论怎样穷，只要认清人才的幼苗，应该从小培养，总是有钱来维持这个学校。那时我脑中有山东武训先生画像出现，我对自己说，武训先生以一个乞丐而创办柳林、临清、馆陶三个义塾。我和我的朋友的社会关系都比他好，连一个学校也不能维持，将何以对得起小朋友，又何以对得起中华民族。当时就下决心坚持到底，除非我自己，我的朋友，整个中华民族都没有饭吃了，那时也只有大家饿死，而没有自动停办。”

陶行知口中所说的武训就是他一直信奉的偶像。武训是清末山东省的一名目不识丁的乞丐，行乞攒钱 40 年，在冠县柳林镇、临清杨二庄和御史巷兴办义学三处，清政府曾授其“义学正”名号，光绪帝颁以“乐善好施”匾额。民国初年，其事迹被编入教科书，冯玉祥称赞他为“千古奇丐”。

“人家一个乞丐都能办成学校，我一定要把学校办起来。”

1939 年 7 月 20 日，陶行知创办的难童学校在重庆古圣寺温泉小学举行开学典礼，取名“育才学校”。8 月初学校迁入合川草街古圣寺。

为什么是难童学校？源于陶行知自己的两次亲身经历。

一天，陶行知和朋友戴伯韬一同去查看重庆一所战时保育院。凄凉的景象让他内心非常痛苦，孩子们挤在一间阴森潮湿的房子里，生病没人管，吃饭没人管，随时都可能面临死亡的威胁。

还有一次在汉口一所临时保育院，陶行知看到一名害癞痢头的难童正在指挥小孩们唱歌，表现出与众不同的能力，而且十分聪敏。当即，与陶行知一同考察的抗日救亡作曲家任光教孩子们唱他新谱的歌曲《高粱红了》的开头几句。随后便问：“谁能用谱把它记下来?”没想到又是这个癞痢头难童举起手来，准确地把刚唱的两句歌曲的旋律写在黑板上，任光感到很惊喜。这些事让陶行知意识到，难童中，确实有许多天才儿童，只是这些幼苗缺少阳光、雨露。

国难当头，陶行知开办育才学校，就是从难童中挑选有特殊才能的儿童加以特殊培养。为国家民族选拔人才幼苗，与以前创办晓庄一样，他还专门写了一篇文章谈育才创办的宗旨：

创办育才的主要意思在于培养人才之幼苗，使得有特殊才能者的幼苗不致枯萎，而且能够发展，就必须给予适当的阳光，空气，水分和养料，并扫除害虫。我们爱护和培养他们正如园丁一样，日夜辛勤地工作着，希望他们一天天的生长繁荣。

我们拿爱迪生的幼年来说吧，他小时在学校求学，因为喜欢动手动脚，常常将毒药带到学校里来玩，先生不理解他，觉得厌恶，便以“坏蛋”之罪名，把仅学了三个月的爱迪生赶出学校。然而他的母亲却不以为然，她说她家的蛋没有坏，她便和她的儿子约好，历史地理由她教他，化学药品由自己保管，将各种瓶子做记号，并且放在地下室里，他欣然地接受了母亲的意见，于是这里那里地找东西，高高兴兴地玩起来。结果，就由化学以至电学，成为世界有名的大发明家。虽然那三个月的学校教育是他一生仅有的形式教育，但是由于他母亲深切地理解他，终能有此造就。像爱迪生母亲那样了解儿童的精神，是值得我们学习的。假如他的附近有化学家电学家的帮助，设备方面又有使用之便利，则可减少他许多困难。我们这里便想学做爱迪生的母亲，而又想给小朋友这些特殊的便利。

我们这里的教师们，要有爱迪生母亲那样了解儿童及帮助儿童从事特殊的修养，但在这民族解放战争中，单为帮助个人是不够也是不对的，必须在集体生活中来学习，要为整个民族利益来造就人才。因此，我们要引导学生们团起来做追求真理的小学生；团起来做自觉觉人的小先生；团起来做手脑双挥的小工人；团起来做反抗侵略的小战士。

育才学校是一个具有试验性质的学校。陶行知办育才学校，一是尝试了以前没有尝试过的特殊儿童的教育，而更重要的一点，他此前关于“生活教育”的许多想法和措施，在这里得到了全新的继承和发扬。他给育才学校下了几个定义：

1. 育才学校办的是建国教育，但同时是抗战教育。今天育才学校的儿童必过战时的生活，必须为抗战服务；必须在抗战洪炉中锻炼。育才学校的教育，不是挂名的建国教育，而是抗战与建国的统一的教育，抗战建国教育。

2. 育才学校办的是人才教育，分音乐、戏剧、绘画、文学、社会、自然等组。但和传统的人才教育方法，有所不同。传统的人才教育，一般的是先准备普通的基本教育然后受专门的高等教育。育才学校选拔具有特殊才能的儿童，在开始时便同时注意其一般基础教育与特殊基础教育。前者所以使儿童获得一般知能及优良的生活习惯与态度；后者所以给予具特殊才能之儿童以特殊营养，以使其特殊才能得以发展而不致枯萎。

3. 育才学校办的是知情意合一的教育。“知”是指知识，“情”是指感情，“意”是指意志。与中国以前知识贩卖的教育不同，知情意的教育不是灌输儿童死的知识，不是培养儿童脆弱的感情，而是引起儿童的兴趣与行动的意志，使养成追求真理的感情并能努力奉行，让他们能活泼健康地生长。

4. 育才学校办的是智仁勇合一的教育，智仁勇三者是中国重要的精神遗产，尤其是在抗战建国时期，时代需要智仁勇兼修的个人，不智而仁是懦夫之仁；不智而勇是匹夫之勇；不仁而智是狡黠之智；不仁而勇是小器之勇；不勇而智是清谈之智；不勇而仁是口头之仁。育才学校不仅是以智仁勇为其局部训练之目标，而是通过全部生活与课程以达到智仁勇的目标，要求每一个学生个性上滋润着智慧的心，了解社会与大众的热诚，服务社会与大众自我牺牲的精神。

更重要的是，陶行知还说了育才学校有“三个不是”：

一、不是培养小专家。有人以为我们要揠苗助长，不顾他的年龄和接受力及其发展的规律，硬要把他养成小专家或小老头子。这种看法是片面的，因为那样的办法也是我们极反对的。我们只是要使他在幼年时期得到营养，让他健全而有效地向前发展。因此，在特殊功课以外，还须给予普通功课，使他获得一般知能，懂得一般做人的道理，同时培养他的特殊才能，根据他的兴趣能力引导他将来能成为专才。

二、不是培养他做人上人。有人误会以为我们要在这里造就一些人出来升官发财，跨在他人之上，这是不对的。我们的孩子们都从老百姓中来，他们还是要回到老百姓中去，以他们所学得的东西贡献给老百姓，为老百姓造福利；他们都是受着国家民族的教养，要以他们学得的东西贡献给整个国家民族，为整个国家民族谋幸福；他们是在世界中呼吸，要以他们学得的东西帮助改造世界，为整个人类谋利益。

三、我们不是丢掉普及教育，而来干这特殊的教育。其实我们不但没有丢掉普及教育，而且正在帮助发展它。现在中国处在伟大的抗战建国中，必须用教育来动员全国民众觉悟起来，在抗战建国纲领之下，担当这重大的工作，所以普及教育，实为今天所急需。继续不断的协助政府，研究普及教育之最有效之方法，以提高整个民族的意识及文化水准。育才学校之创立，只是生活教育运动中的一件新发展的工作，它是丰富了普及教育原订的计划，绝不是专为这特殊教育而产生特殊教育，也不是丢掉普及教育而来做特殊教育。

从这里，也可以看出一些此前陶行知办晓庄学校，实施平民教育的影子。但因为在战时特殊时期，育才是根据全新的办学理念而设置的，它选拔学生的标准，不仅要看其智力，而且要测验他有无特殊的才能和兴趣。

当时，也有那么一些因循守旧的“学者”们提出异议，一向强调“普及教育”“平民教育”的陶行知，为什么搞“天才教育”了。但陶行知非常清楚，自己不是办天才教育，办的是人才教育。中国正处于危难之际，正是需要人才的时候，按照每个学生的特长、才能、爱好，对他们提出一定的要求，加以定向培养，进行因材施教，若能为国家、为人民培养几个“天才”又有什么不好呢？

办学无定法　艰难创育才

培养天才，首先需要一双发现天才的眼睛，一个发现天才的环境。

而这一切，通过陶行知别出心裁的教育理念和革故鼎新的教育实践，变得并不困难。

首先看一看育才学校的课程，除了按规定开设普修课外，学校专门按学生“性之相近”，分别组成了音乐、戏剧、文学、绘画、社会、自然 6 个组，根据各组学术性质开设特修课。开始，“普修课与特修课之时间各占二分之一”，后经研究，“普修课约占三分之二，特修课占三分之一，并给各组以伸缩机会，再依各组进程需要逐年酌量增加特修之时间”。值得注意的是，在育才，特修课从社会和科学两大领域去设计，尤其重视艺术课程，同时专门聘请著名学者任教，特修课很有规格和品位。普修与特修相结合的课程结构的目的是“敷成多轨，即普及提高并重”。特修课的开设，为学生的个性和特殊才能的发展提供了环境，创设了时空。而在教学方式上，育才也与一般学校不同，它把学生分成若干个专业组，进行分组教学。

与此同时，育才学校更注重对学生人格的培养和塑造。

凡是在育才学习过的学生，都知道著名的“每日四问”：第一问：我的身体有没有进步？第二问：我的学问有没有进步？第三问：我的工作有没有进步？第四问：我的道德有没有进步？其实这四问涉及德智体美等多个层面，与今天我们评价教育的基本标准何其相似。

更难得的是，陶行知不仅仅是提出了四问，而且对这四问进行了剖析。

“四问”的前提是健康，因为在陶行知看来，“健康第一，没有了身体，所有都完蛋了”。为此，他还提出了注意身体的几个事项，“第一，迷信的查看与诊断。第二饮食的调节与改良。第三，防备疲劳的休息。第四，用卫生教育取代医生”。堪称仔细周密，用心良苦。

“四问”的根本是道德。陶行知不止一次说过：“道德是做人的根本。根本一坏，纵然有一些学问和本领，也无甚用处。没有道德的人，学问和本领愈大，就能为非作恶愈大。”他把道德分成了公德和私德，而公德就是私德的前提，学生人人要以公德为前提，维护公德则集体日益稳固和形神。如果只顾个人私利，不顾集体利益，则集体的基础必然动摇甚至衰败。而在当时国家风雨飘摇、民族危亡的严峻情势下，最大的公德无疑是热爱祖国，热爱人民。

陶行知说：“国家是大家的。爱国是每个人的本分。我觉得凡是脚站中国土地，嘴吃中国五谷，身穿中国衣服的，无论男女老少，都应当爱中国。不过各人所处的地位不同，爱国的方法也不能尽同。小孩们用心读书，用体力操，学做好人，就是爱国。今天多做一分学问，多养一分元气，将来就能为国家多做一分事业，多尽一分责任。”“大德不能小于‘天下为公’。人民是我们的亲人，我们是人民的亲人，是必须亲近，打成一片，并肩作战。”

在这种凝结着中国传统文化的德育培养下，每个育才学生的心灵都建起了“人格的长城”，他们发扬极大的热忱，在奉献中实现自我的价值。

没过几年，孩子们的才华就全面迸发：音乐组的孩子能唱会曲，经常为老百姓表演，甚至可以举办音乐会；戏剧组、舞蹈组的孩子能演戏、跳舞；绘画组的孩子们还办起了儿童抗敌画展。

著名历史学家翦伯赞是陶行知的好朋友，曾两次在育才学校讲学。他在《记古圣寺》一文中这样描述当时的情景：“十几岁的孩子，能够在座谈会上侃谈时局，从国内到国际，从政治到军事，明如指掌，能够写出文学的创作，能够自编剧本，自己导演，能够自己作曲、作歌，能够写生、速写，能够画出星宿的图谱”，“陶行知生活教育的奇迹，就发生在这所古老的寺院之中，使人的奇迹代替了神的奇迹”。

育才学校开办后，陶行知发现那个害癞痢头具有音乐天才的难童没有选上，便找来负责招生的常学墉老师，向他介绍这个难童，叮咛常老师无论如何要把他找到。经多方打听，常老师了解到，这位小朋友叫陈贻鑫，在大田坝第一保育院，在育才招生时正患疟疾，所以错过了机会。陶行知听闻消息，立即写信给保育院院长罗叔章，请他派人把这个难童送到育才学校来上学。

为了实现陈贻鑫的上学梦，罗叔章专门派了一位老师，翻山渡河，终于安全把小贻鑫护送到了古圣寺。陶行知见到他十分高兴，安排他到音乐组学习，还写信告诉远在新加坡的作曲家任光："你在汉口赏识的小朋友已经由我们迎接来了。"

不仅如此，看到陈贻鑫因害癞痢头情绪低落，陶行知还专门请皮肤病专家给他治疗。他听说距离重庆100多里的一位医生能治这个病，几经托人邀请医生来校为陈贻鑫治疗。在陶行知的关怀和精心照顾下，陈贻鑫光秃秃的脑袋上终于开始长出了头发，对自己，对音乐都开始有了自信。没过多久，陈贻鑫的音乐才华全面展露，14岁就创造出一首《月光光》发表在《乐风》杂志上，15岁就开始钢琴独奏，后来成为中央音乐学院指挥系主任、国内知名的音乐家。提及陶行知，这位音乐天才总是说："能从一个难童成为指挥家和中国最高音乐学府的教授，是得益于陶校长的苦心教诲，是他把我培养成一个音乐家，一个正直诚实的人。”

陈贻鑫只是育才学校接收的难童学生之一。办校之初，有人统计了一下，育才学校学生当中有革命烈士遗孤 12 人、难童 140 人。在古圣寺办学 7 年，共招收了 600 名儿童。全校 600 多名师生中有 300 多人参加地下党，有 43 人参加了华蓥山游击队，有 21 名师生是革命烈士，育才学校因此被誉为革命的摇篮。新中国成立后，很多育才学生成为党的领导干部，著名艺术家，学者。①

这也是后人特别喜欢探讨育才学校奥秘的原因，一个名不见经传的学校，凭什么就能培养这么多的人才？由此不得不提到陶行知的另一个创造性发明——“幼年研究生制”。与“小先生制”相比，这一步迈得更大也更勇敢了——不仅让孩子们当起了老师，还要培养他们成为研究生。在古今中外的教育史上，何曾有过这样的先例？但是陶行知就在敌人飞机的狂轰滥炸之下，开启了这项令人瞩目的实验。

之所以有这个想法，还是因为陶行知发自内

①引自《陶行知在重庆创办的难童学校名师荟萃》，《新华每日电讯》2014 年 9 月 2 日。

心地相信孩子，相信他们身上巨大的创造力量。陶行知曾说：“有人说，年纪太小，不能创造，见着幼年研究生之名而哈哈大笑。但是当你把莫扎特、爱迪生及冲破父亲数学层层封锁之帕斯加尔的幼年研究生活翻给他看，他又只好哑口无言了。”他对儿童成为“幼年研究生”充满信心。

为此，他从育才学校遴选了首批少年研究生 27 名，他们可以自修课程，可以自由借阅图书。更重要的是，这 27 名学生有一个非常强大的“导师团”。在陶行知、翦伯赞、贺绿汀等名家的指导下，他们发挥自己的聪明才智，做起了专题研究。社会组 15 岁的朱振华把古圣寺作为研究对象，从寺庙住持那里找来年谱，寻来古圣寺碑记，在翦伯赞的指导下完成了考古研究《古圣寺有多少岁》，后来又将研究方向转向苏德战争，撰写出了 20 万字的论文《苏联必胜》，让刚刚卸任回国的驻苏大使杨杰将军都惊叹不已；文学组的郭治方兴趣是民歌，他研究了几百首民歌，建立起内容翔实、条分缕析的“民歌档案”；社会组的张旭东研究的是《英美苏三国外长会议》，不仅在“苏德战争谁胜谁败”的辩论会上大胆地提出自己的看法，而且将研究心得“晒”在壁报上；戏剧组的张本治用四川方言写起了剧本《啷格办》并在重庆公演，在社会上产生了重大的影响。

学校最好的产品是学生。在育才学校，陶行知收获着教育的激情，收获着孩子们的成长，同时也收获着属于自己的幸福。

1939 年 12 月 31 日，陶行知与吴树琴在重庆育才学校举行了简朴的婚礼，婚礼没有张灯结彩，也没有披红挂绿，更没有磕头拜天地。邓颖超、沈钧儒、郭沫若、冯玉祥都来了，还有育才学校百余名师生和前来贺喜的乡民们热情的祝福。

有人说，如果汪纯宜是陶行知尊之重之敬之的发妻，那么吴树琴则是让他疯之癫之狂之的前世命定的爱人。①

陶行知遇到吴树琴时，正是他人生中最艰难的时期。彼时，晓庄被封，理想受阻，陶行知的境况十分凄凉。而吴树琴比陶行知小 25 岁，那时还在为上什么大学而苦恼。在姚文采的推荐下，吴树琴和朋友来到上海，寻求老乡陶行知的帮助。

---

①引自《陶行知：大教育家的夫妻情怀》，武汉晚报，2014 年 9 月 2 日。

在陶行知的建议下，吴树琴选择中法大学的药学专修科就读。此时的二人还只是亦师亦友的关系。

真正的爱情发酵是陶行知出国期间。不管是在美国、加拿大、印度，陶行知都不忘给吴树琴写信，收不到信他还会焦急，正如他在给吴树琴的信里写道：

“在最近的一封信里，你说到梦里常常看见我，我是多么高兴啊！你写这封信，谅想是用尽气力，拼命地要把心中话写出来，我佩服你的勇敢。老实告诉你，我做了你的梦里人，那是比做南面王还荣幸。我愿意永远在你的梦里安慰你。你不知道吧？我也时常在梦中看见你。不过我是没有你勇敢，从来没有给你说过。现在可以给你知道，你是我梦里最欢迎的人了。你也觉得高兴吗？我们有什么办法呢，相隔几万里，只有梦中的情景才是人生的天国。你几个月才给我一封信，叫我想念来信如同三天没有吃奶的小孩，以后每逢有船来，赏我一封信，可以吗？”

1937 年夏，吴树琴从大学毕业，她放弃了在上海大药房工作的机会，追随陶行知来到南京，来到重庆。

虽然二人年龄悬殊，面临着不少的困难和问题，比如吴树琴家人的激烈反对，但在二人的共同坚持下，还是有情人终成眷属！

结婚时，吴树琴执笔写了一份幽默而绝妙的结婚通告：

> 前世有缘，无法奈何。我也爱他，他也爱我。
>
> 教学相长，如切如磋。好来好往，朝朝暮暮。
>
> 万里长征，好事多磨。苦中有甜，彼此唱和。
>
> 国难当头，理宜节约。替代钻戒，丹心一颗。
>
> 不要媒公，不要媒婆。两相情愿，终身合作。
>
> 主不请客，客不恭贺。警友告亲，大家呵呵。
>
> 右合撰结婚通告，写给吾夫爱存。琴。

见妻子如此有情有趣，陶行知也在结婚证书

上题了一首白话小诗：

> 天也欢喜，地也欢喜，人也欢喜。
>
> 欢喜你遇到了我，我遇到了你。
>
> 当时是你心里有了一个我，我心里有了一个你，
>
> 从今以后是朝朝暮暮在一起。
>
> 地久天长同心比翼，相敬相爱相扶持。
>
> 偶然发点脾气，也要规劝勉励。
>
> 在工作中学习，在服务上努力，追求真理，抗战到底。
>
> 为着大我，忘却小己，直等到最后胜利。
>
> 再从从容容生一两个孩子，一半儿像我，一半儿像你。

婚后，陶行知与吴树琴就住在重庆北碚檀香山桥附近一个二层旧碉堡中，条件艰辛，生活清贫，但夫妻俩却苦中作乐，过得很是甜蜜。

从未有过的安稳幸福，从未有过的相知相契，让陶行知激情迸发。此时的他已近知天命之年，积累了多年的教育经验，而在育才学校的教育实践中，他又创造了许多新的经验和方法，且在教

育管理上更规范、更制度化，尤其是他在“管”和“放”两个字上做文章，既培养了学生的创造精神，又加强了学生的常规管理，很值得后人学习。

在教育管理方面，育才的规章很完备，有《育才学校公约》《育才十二要》《育才卫生教育二十九事》《育才创造奖金办法》《育才二十三常能》等，有点类似今天的学生守则，但相较守则来说，又非常详细，详细到每一处细节。比如，他给育才学校制订的公约包括：一、会场上；二、师生间；三、同学间；四、师生工友间；五、穿衣；六、饮食；七、居住；八、图书史地馆；八个方面，每个方面都有许多条文。以“会场上”为例，有 14 条，对集会提出了严格要求：

1. 一切集会，都要做到迅速、整齐、安静；
2. 集合预备钟响，即把坐凳送到会场摆好；
3. 分队长检查人数后，后来者即算迟到；
4. 集合时，精神集中，注意口令，口令后即不得说话；
5. 遇友来，注目点头，无声招呼；
6. 开会前，休息时，邻座可以低声说话；

7. 检点仪容；

8. 轻步进出；

9. 会未毕，不退；离开会场，必得值日分队长允许；

10. 不大声咳嗽，随地吐痰、瞌睡；

11. 端正而坐；

12. 不看书报；

13. 有意见发表，先举手，得主席允许而后发言；

14. 值日中队长和干事，负责布置会场。

又比如“饮食”，育才学校也作了许多规定：

1. 盛饭盛汤时，依先后排队，并慎盖饭桶；

2. 需要说话，必须音轻；

3. 每桌每人轮流抹桌；

4. 值日分队长负责维持整个食堂秩序；

5. 不得膳委会允许，不得进厨房；

6. 不抛剩饭粒，不得剩菜、剩饭；

7. 用规定碗筷吃饭；

8. 菜碗先用开水洗过，然后盛菜；

9. 饭后半小时内，不作激烈运动。

管理如此细致，是不是意味着育才学校是一

个特别严苛的学校，有别于晓庄学校的“自由奔放”，当然不是。

陶行知一直强调，对学生不要管理太死，要放手，要求学生自己管理自己，要解放学生的创造力，这也是陶行知特别看重集体生活的原因。而育才学校全盘的教育基础建筑都在集体生活上，学生通过民主自治，自我管理，遇到事情集体讨论，一方面增强了自我表达能力，一方面也培养了作为一个公民的民主政治意识。

这一点，从育才学校的学校机构设置就可以看出来，育才的机构设置分为三部分：一、权力机关包括董事会、校务会、校学生自治会；二、监察机关即校风纪委员会；三、行政组织。校务会和校学生自治会是学校的“立法机构”，是学校全体教职员工及学生的代表大会，其成员除工友代表 2 人外，各级校领导占 25%，教师（指导员、艺友）代表占 25%，学生代表竟然占到了 50%。其中学生自治会是学生代表大会，以各组（相当于按专业分设的系科）为单位按比例选举。校风纪委员会是学校的“司法机构”，成员由校工（1 人）、学生（每组 1 人）加上等额的指导员、艺友组成。①

“自治体系在运用学生的集体与组织的力量训练学生的自治能力（治事与治学能力）。指导体系的运用，一方面即在于指导学生获得各种知能，并且日益扩大其自治范围，另有一方面则在运用指导员艺友的集体组织的力量，实行自我教育。”这句话写进了《育才学校公约草案》。可以说，育才学校为此组构了一整套的“运用学生的集体与组织的力量训练学生的自治能力（治事与治学的能力）”的“自治体系”。无论是哪个机构和组织，我们都能看到学生的身影，并且学生占的比例和份额很大。可以说，在当时那个时代，没有哪个学校的学生被赋予这么多超乎想象的权力。

正如陶行知自己所说，遇到了一个问题，自己能够想办法解决，就长进了一层判断的经验。问题自决得越多，则经验越丰富。若是别人代我解决问题，纵然暂时结束，经验却也被旁人拿去了。

说到自治，还有个小故事特别有趣。

---

①《陶行知育才学校的办学特色》，陈韶峰，《江苏教育学院学报》（社会科学版）1994 年第 4 期。

早在1938年，陶行知在去武汉大学的一次演讲，就很好地表明了他对学习的态度。

那次演讲，在众人期待中，陶行知走上前台。

但谁也没想到的是，他从包里抓出一只活蹦乱跳的大公鸡。公鸡喔喔地乱叫，台下听众一个个目瞪口呆，不知他葫芦里卖的什么药。

接着，陶行知从口袋里掏出一把米，放在桌上。他左手按住鸡的头，逼它吃米。鸡直叫不吃。陶行知又掰开鸡的嘴，把米硬塞进去。鸡挣扎着仍不肯吃。接着，陶行知轻轻松开手，把鸡放在桌子上，自己后退了几步。只见大公鸡抖了抖翅膀，伸头四处张望了一下，便从容地低下头吃起米来。这时，陶行知说话了："各位，你们都看到了吧。你逼鸡吃米，或者把米硬塞到它的嘴里，它都不肯吃。但是，如果你换一种方式，让它自由自在，它就会主动地自己去吃米。"

此时，陶行知又向会场扫视了一圈，加重语气说："我认为，教育就跟喂鸡一样。先生强迫学生去学习，把知识硬灌给他们，他们是不情愿学的，即使去学也是食而不化，过不了多久，他还会把知识还给先生的。但是，如果让学生主动去

学习，充分发挥他的主观能动性，那么，效果一定会好得多!”

在陶行知看来，在自动上培养自动，才是正确的态度培养。他从不赞成所谓的苦学，极力提倡乐学，因为“治学应以兴趣为主，学生有了兴味，就肯用全副精神去做事，所以学和乐是不可分离的。学校里面先生都有笑容，学生也有笑容。学生有了兴味，就会对所学知识发生浓厚的兴趣，产生强烈的求知欲望，就会有得学之乐、耐学之苦的精神和毅力”。

有了自动，有了各种体验，学生才会有自我学习的精神和动力。陶行知以坐车和不坐车为例，对自动和不自动的两种教育模式进行了比较：学生坐车，自然是学生高兴，车夫辛苦，但学生自己再回来恐怕就认不得路了；学生不坐车，不识路就问警察，自然是辛苦一点，但走回来时，因为走了一遍，还是能回来的。

所以，这就是陶行知一以贯之的理念，反对包办代替，鼓励学生自治自决，让学生有自己解决问题的机会，并自负解决问题的责任。

“智育注重自学，体育注重自强，德育注重自治，是全面培养学生自我教育精神和自动力的有效途径。”陶行知甚至这样形容自治：“自治是一种人生的美术，凡美术都有使人欣赏爱慕的能力；那不能使人欣赏的、爱慕的，便不是真美术，也就不是真的学生自治。所以学生自治，必须办到一个地位，使凡参与和旁观的人，都觉得它宝贵，都不得不欣赏它，爱慕它。办到这个地位，才算是高尚的人生美术，才算是真正的学生自治。”

当然，自治并不意味着乱动。在培养学生主动性的过程中，陶行知提醒大家要注意处理好几个关系。

一是自动与自发的关系。自动是自觉的行为，而不是自发的行动。自发的行动是自然而然的原始行动，可以不学而能。自觉的行动，需要适当的培养而后可以实现。

二是自动与乱动的关系。学生自治，不是自由行动，乃是共同治理；不是打消规则，乃是大家立法守法；不是放任，不是和学校宣布独立，乃是练习自治的道理。让学生自动的时候，不是让他们乱动，而是要他们走上创造之路。

三是自动与强迫的关系。读书好比吃饭，肚

子饿了要吃饭，何用强迫？但社会上也存在部分人是经劝导后才愿意读书的，有的人是非强迫不愿读书的。所以，对这部分人强迫也是必要的，可以采用劝导与强迫并行的办法。

学生自治是育才学校在管理上的一次重大尝试、重要创新，它反映了陶行知作为一个具有远见卓识的教育家对学生能力及地位的充分肯定。事实上，这种理念在今天依然有非常强大的生命力。

有了这样把学生放在学校中央的思想，育才学校才会在课程设置、教学组织、教学方法等各个方面进行一系列突破性的改革。

比如在教学组织方面，育才学校就是根据情况灵活运用。陶行知认为，国文、数学、外国文三样，在初期按程度分班上学最合适。对于学艺术的学生来说，学数学的程度只需要达到能够处理日常生活就可以，然后就可以自由选择。外国文的学习和国文的学习，则应该同时进行，越早越好。“学习科学不必全部采用班级上课，一部分要使其在行动上获得方为有效，这科学方法似宜包含治学、治事各方面”。

陶行知还专门举了点石成金的例子：从前有一个故事提到有一位道人用手一指，点石为金，一位徒弟在旁呆看，道人说："你把金子搬去可以致富。"徒弟摇摇头。道人问他为何不要金子，徒弟说："我看中你那个指头。"他叹道："世上有多少被金子迷惑而忘了点金的指头，文化钥匙虽可分班度人，但要在开锁上指点。如当作死书呆读，上起锈来，又失掉钥匙的效用了。"可见，陶行知多么重视方法和工具的灵活运用。

正因为如此，育才学校的教学方法也同样灵活多样。除了传统的课堂讲授，陶行知还提出了集体探讨法，即行动、观察、看书、谈论、思考"五路探讨"，他将《中庸》对学习过程"博学、审问、慎思、明辨、笃行"的表述，进行了精巧而切要的现代转换：体验相当于笃行；看书、求师、访友相当于博学；思考相当于审问、慎思、明辨，并聚焦于学生治学过程中"探知""征知""悟知"能力的养成。与一般学校留了大量背诵、记忆、写作的"作业"不同，育才学校给学生留的大部分作业都是鲜活的、动感的，比如绘画组的学生办起了画展；舞蹈组的学生自编舞蹈；音乐组的学生开起了作品演奏会……凡此种种，都体现了陶行知的教育观。

育才故事多 “创造教育”勇开拓

育才学校是一座教育的富矿。

与其他学校不同，育才学校是陶行知一生中创办学校时间最长、教育思想反映最集中、最成熟、经验最多、创新最集中的一所学校，在这里，陶行知和他的学生们发生了许多有趣的故事，流传下来，成为教育史上的经典。

比如经典的四颗糖的故事。

一天，陶行知在校园里看到学生王友用泥巴砸自己班上的男同学，陶行知立即制止了他，并让他放学后到校长室去。放学后，王友来到校长室门口准备挨训。陶行知一看到王友，就掏出一块糖果递给他，说：“这是奖给你的，因为你按时来了，而我却迟到了。”

本以为要挨批的王友吃惊地接过糖果，没想到陶行知又拿出一颗糖果递给王友，说：“这块糖果也是奖给你的，因为我不让你再打人，你立即就住手了，这说明你很尊重我，我应该奖励你。”

王友更吃惊了，校长究竟想干什么？

接着，陶行知又拿出了第三块糖果放到王友的手里："我已经调查过了，你用泥块砸那些男生，是因为他们欺负女生。你砸他们证明你很正直，并且有跟坏人做斗争的勇气，应该奖励。"王友听了非常感动，他失声叫了起来："校长，你打我吧，我砸的不是坏人，而是自己的同学呀！"

陶行知满意地笑了，又掏出第四块糖果递给王友，说："你能正确地认识错误，这块糖果值得奖励给你。现在我已经没有糖果了，你也可以回去了。"

面对犯错的学生，教师应该怎么做？陶行知以有策略的行动，诠释了什么是爱的教育，收到了绝佳的教育效果，流传至今，依然为今天许多教师效仿。对待王友，陶行知是给了四颗糖果，对待其他一些"调皮"的学生，他更是另有绝招。

育才学校文学组办了几十种壁报，还在重庆开诗歌朗诵会，一时间风头无两，文学组的学生们于是有些飘飘然了。有的人留起了披肩长发，有人特意穿破衣服，自视为艺术家的派头。也有的人自以为了不起，看不起别人，说话尖刻，爱讽刺人。除夕夜，陶行知把文学组学生召集起来，一面跟他们庆祝新年，一面对他们说：一个文人应是灵魂干净、品格高尚的人。衣服脏得很，破了也不补，这是乞丐，绝不是文人应有的样子。他又摸着一个男学生乱蓬蓬的头发说：这是茅草山。我要放一把火，叫“放火烧山”！

几个留长发的学生不好意思地笑了。陶行知拿起剪刀，亲自给他们剪了发，学生们心服口服。

还有一天晚上，陶行知走过男生宿舍，顺便进去看看，正赶上有七八个男生在打扑克。陶行知没有当场说话，而是看了一会儿，就走了。第二天，陶行知在晨会上讲述了抗日战争形势后问：“抗日需要人才，建国更需要人才，你们难道可以浪费自己的时间吗？请大家自觉地把扑克牌交出来，像烧鸦片烟一样地把它烧掉！要知道，时光是最可宝贵的。”孩子们低着头，交出了扑克牌放在台上。

陶行知用火柴点燃了牌，并没有训斥，又温和地对孩子们说：“有人说‘劳逸结合’，‘逸’就只能玩扑克？你们可以练琴、写诗、作画，也可以打球、下棋。只有多学一点本领，将来才能建设国家!”

像这样的故事每天都在育才学校上演着，陶行知从不责罚学生，而是用自己的言传身教，告诉学生们什么该做，什么不该做。

抗日战争时期，国内通货膨胀，物价飞涨，许多商人囤积居奇，投机倒把，以次充好，在粮食里掺杂了大量的石子、沙粒、稗子和霉烂的米。育才学校也买了不少这样的粮食。为了保证师生们健康，学校规定每天早晨用 20 分钟时间上一堂选米课，全校师生人人动手，把米里面的杂质一一剔除。但尽管如此，学生们吃饭时还是不时地硌牙，有的人忍不住就把米倒掉。

看到了这个情况，陶行知陷入了沉思中。一天，等大家吃完饭后，陶行知一个人留在饭厅里，走到每张桌子前，把剩米分别包成小包，带走了。

第二天晨会上，陶行知语重心长地说道：“现在抗战已到了最艰苦的阶段，国家混乱，奸商无德，大家受苦了!”接着，他话锋一转：“我们的粮食已经很少了，但有些同学却还是不知道爱惜，吃到沙子就把一大口饭都吐了出来，我看了很痛心。昨天午饭之后，我数了一下每张饭桌上散落的饭粒，可不少，这样下去，怎么行呢？”

听到这里，台下的学生有的低下头……紧接着陶行知出了一道算术题，让大家一起来计算，他说：“以我们吃饭时浪费的米粒每张饭桌上 300 粒计算，那我们每顿饭要浪费多少粮食？如果把这些粮食算成钱以后，可以买多少发子弹？这些子弹又可以消灭多少个日本鬼子？请大家认真算一下。”

从此以后，同学们在吃饭时遇到沙子，总是特别小心翼翼地只把沙子吐出来，而把米饭吃下去。餐桌上再也见不到饭粒了。

尽管如此，学校办学还是非常困难，有时全校师生几乎没米下锅。为了给学校募得更多资金，陶行知发动全校师生走街串巷，向社会各界热心人士募捐。

针对外出募捐，陶行知宣布一条纪律：募捐来的钱必须归公，在任何情况下，任何人不得借故挪用分文。于是就有了“陶行知的两只口袋”的故事。

话说陶行知的上衣缝有两只口袋，一只袋公款，一只袋私款。有一次他到远处去募捐，走访了好多地方，募捐了不少现款，袋里装得满满的。在归途搭车时，忽然发现放私款的那只口袋里不剩下一分钱，他当时就有一个坚决的想法，决不挪用公家一分钱，尽管一天奔波下来，既疲惫不堪，又饥肠辘辘，但仍坚持从十里外步行回校，感动了学校的师生们。

教育是一门科学，也是一门艺术，育才学校短短几年的办学经历，流传下来的不仅是育才的经典教育故事，更为陶行知提出“创造教育”提供了最好的试验田。

作为中国创造教育理论的奠基人之一，陶行知认为，创造是一个民族生生不息的活力，是一个民族文化中的精髓。所谓创造教育，就是培养民族活力的教育。

陶行知提出创造教育思想，经过了一个孕育、萌芽、发展、成熟的过程。早在 1919 年，陶行知就说过：“敢探未发明的真理，即是创造精神；敢入未开化的边疆，即是开辟精神……在教育界，有胆量创造的人，即是创造的教育家；有胆量开辟的人，即是开辟的教育家，都是第一流的人物。”

在 20 世纪 30 年代初，陶行知在上海大夏大学就发表了以“创造的教育”为专题的演讲，提出“我们在打倒传统的教育，同时要提倡创造的教育”，他认为“创造是中国教育的完成”。

自此，陶行知多次提到“创造”二字，并且从自己“实践第一”的观点出发，多次进行试验教育，发表了大量文章，创造教育思想越来越成熟和完善，他明确提出创造教育是生活教育的主张，明确提倡行动的教育，为此不惜改王阳明的“知行合一”为“行是行之始，行是行之成”。

“创造即行动，行动必须贯彻教育的始终”；“行以求知知更行”；“手脑联合是开始之行，是行以求知；手脑双全是知而再行，最后一起点之行。”陶行知的创造教育思想以此为标志，已趋成熟。

“创造”也是育才学校的关键词。陶行知躬行实践，亲自制订了“创造年”计划，并在育才学校开展“创造月”活动。为了使育才学校更好地开展此项活动，从而发挥创造精神，鼓励创造生活，陶行知还制订了“育才学校创造奖金办法”。1943 年，他又发表了著名的《创造宣言》，号召敲碎儿童的地狱，创造儿童的乐园！他主张实施创造的儿童教育，强调从小培养学生的创造精神与创造能力。他宣称："处处是创造之地，天天是创造之时，人人是创造之人"，号召"创造之未完成之工作，让我们接过来，继续创造"，学校应"创造健康之堡垒"，"创造生产之园地"，"创造学问之气候"，"创造真善美之人格"。

如何实施创造教育，陶行知特别看重儿童的作用，他特别强调培养发挥儿童的创造精神。

陶行知认为，"儿童是有创造力的，这是千千万万祖先，至少经过五十万年与环境适应斗争所获得而传下来之才能之精华"。只有承认儿童的创造力，才能谈得解放儿童的创造力。所以，教育者要启发培养儿童的创造力，首先真诚地与孩子生活在一起，了解儿童，发现儿童的创造力，进一步把儿童的创造力解放出来。他在《创造的儿童教育》中提出了儿童创造力"六大解放"的主张：

（一）解放儿童的头脑，让他们敢想。他认为，儿童的创造力被固有的迷信、成见、曲解等裹头布层层包缠着。要发展儿童的创造力，就要把这些裹头布一块一块地撕下来。

（二）解放儿童的双手，让他们多做。他认

为，中国对于小孩子一直是不许动手，动手就要打手心，往往因此摧残了儿童的创造力。要发展儿童的创造力，就要让他们有动手的机会。

（三）解放儿童的嘴巴，让他们敢问、多问。他认为，中国的习惯是不许小孩子多说话。要允许他们敢于提问题。他们有了言论自由，特别是有了问的自由，就能充分发挥自己的创造力。

（四）解放儿童的空间，让他们到大自然、大社会中去多学。他认为，从前的学校完全是一只鸟笼，改良的学校是放大的鸟笼，仍然不是鸟的家乡，鸟的世界。要把儿童从鸟笼中解放出来，让他们去接触大自然中的花草、树木、青山、绿水、日月星辰以及大社会中的士、农、工、商。儿童的空间得到解放，才能搜集丰富的资料，扩大眼界，发挥内在的创造力。

（五）解放儿童的时间，让他们有空暇时间消化知识，增长知识。他认为，一般学校把儿童的时间排得太紧，各种考试又多，“日间由先生督课，晚上由家长督课，为的都是准备赶考”，儿童没有机会去接受大自然和大社会的宝贵知识。只有解放儿童的时间，儿童才有学习人生的机会。

（六）解放儿童的眼睛。陶行知在《民主教育》中指出："培养创造力，以实现创造的民主和民主的创造。解放眼睛，敲碎有色眼镜，教大家看事实"。戴有色眼镜进行的研究，即使有"成果"，也不能算是创造。在《我要看世界》一诗中，他写道："我是一个大孩，我要看看世界，和大家一同来改造世界。"儿童通过观察事物和现象，就能认识自然、社会、人生，并产生探索真理的动机，进而产生创造活动。

在这六大解放中，陶行知特别强调时间的解放，他特别反对过分的考试制度的存在，因为"一般学校把儿童全部时间占据，使儿童失去学习人生的机会，养成无意创造的倾向，到成人时，即有时间，也不知道怎样下手去发挥他的创造力了"，"创造的儿童教育，首先要为儿童争取时间之解放"。

除了重视儿童，陶行知还特别强调通过集体生活培养创造能力，以集体的力量培养有创造能力的学生，培养学生探求知识的自动力。他认为，凡不是自己经验里发出来的知识，都不是创造。所以，他强调学生是创造的主体，创造教育的方

法，必须使这个主体自动，身体力行，躬亲实践。学生的创造“倘使都能自动，不是自发行动。自发的行动是自然而然的原始行动，可以不学而能。而自觉行动需要适当的培养而后可以实现”。因此，培养学生的自动力，要在“自动上培养自动力”。他把“在自动上培养自动力”作为创造教育的根本方针。

创造教育需要创造性的老师。在陶行知的理念中，教师的成功是创造出值得自己崇拜的人。先生之最大快乐，是创造出值得自己崇拜的学生。陶行知强调：“教师要胆量放大，将试验精神向未发明的新理贯射过去，不怕辛苦，不怕疲倦，不怕障碍，不怕失败，一心要把那教育的奥秘新理，一个个的发现出来。”而作为创造性的老师，要做到启发性教学和因材施教，要使学生对于一个问题处在疑难的地位；要使他审查所遇见的究竟是什么疑难；要使他想出种种可以解决这疑难的方法；要使他推测各种解决方法的效果；要使他将那最有成效的方法试用出去；要使他审查试用的效果，究竟能否解决这个疑难；要使他印证，使他看这试用的法子，是否屡试屡验。

陶行知认为，有了疑难，就是成功的一半，疑难是创造之师，是学生追求真理、创造的内驱力，有了它，教师无须频挥教鞭，学生仍自进不息。如果儿童自学或听讲产生不了疑难，不仅表明儿童消极被动，学而无益，不能创造，而且也说明教师治教无方，不能引导创造。①

全新的育才学校受到了各方关注，中国共产党更是高度关注这所充满民主气息、创造精神的新学校。

早在 1939 年，陶行知创办育才学校时，作为中共中央南方局书记和第十八集团军驻重庆办事处负责人的周恩来就特别指示地下党支部："支部在学校里要搞好团结工作，首先要帮助陶先生把育才办好。"

1940 年 9 月，周恩来又亲自来到了育才学校。他走上学校讲台说："你们这些孩子，都是从战火纷飞的地方辗转流离，经过长途跋涉来到大后方重庆的。你们是科学家或艺术家的幼苗，有了像陶先生这样的园丁精心培养，一定会长成像凤凰

①摘自《现代教育理论导读》，张洪亮，中国石油大学出版社，2009 年版。

山周围的参天大树，成为建设国家大厦的栋梁。”在观看了孩子们的演出后，周恩来还留下了“一代胜似一代”的题词。

回到红岩村办事处，周恩来想到育才学校师生的艰苦生活，便给学校寄去400元。陶行知知道后给学校领导写信说：“周恩来、邓颖超二先生参观育才后，觉得小孩子们健康有欠，特捐款400元为小孩子们购买运动器具之用，这是指定捐款，请开具正式收据，以便送去致谢。”

那年冬天，陶行知带领育才音乐组师生到重庆举行儿童音乐会，邀请周恩来、邓颖超、叶剑英等同志及冯玉祥先生到会指导，听了陈贻鑫的演奏，周恩来还为音乐组题词：“为新中国培养新的音乐人才。”

不止周恩来欣赏陶行知，许多党内高级领导人都对陶行知非常支持，毛泽东高度评价陶行知的知行合一理论，提议把生活教育的内容写进教材。董必武在重庆举行的生活教育社纪念大会上发言，说陕甘宁边区教育的做法基本上和陶行知的做法相同。作为毛泽东老师的徐特立更表达了他对陶行知的欣赏和尊敬：“陶行知先生创造了教学做合一，尤其是反对普及教育中的教条主义，发明小先生制……我在江西所行的与小先生制密合，但我只有行动，没有理论。他发明了理论，他实际比我高明，我不是他的学生，但我常尊敬他为师，我与故旧通信，署假名常署‘师陶’。”

的确如此，徐特立可谓是陶行知的超级粉丝。1942 年，为纪念生活教育运动 15 周年，徐特立在延安《解放日报》上发表纪念文章：“生活即教育是以生活为教育的目的。生活教育的刊物是它的理论，而晓庄师范及山海工学团是它的实际。所以生活即教育，不只是原理且有方法，有行动。希望生活教育社诸君在我们边区发挥晓庄师范精神、山海工学团精神，而不是只读陶行知的著作。如果只在书本上去找教育，我们也还有马克思主义的书籍可读，因为只有原理必不够，当有具体的实际例子作对象，才不会脱离生活。在边区的学者，边区与他们的生活环境，应该在此实现生活教育。”

比起晓庄，育才与中国共产党的联系更加紧密。周恩来、叶剑英、董必武、吴玉章、邓颖超等曾在育才学校留下足迹，翦伯赞、艾青、戴爱莲、田汉、史良、贺绿汀等曾在这里执教。皖南事变后，育才学校遭遇办学最艰难的时刻，周恩来派专人送来了毛泽东在延安号召解放区军民开荒生产自给的一套照片和一件延安织制的灰色毛线衣，他自己甚至捐出亲人坟地 20 亩，给育才学生种植经济作物。

更难得的是，600 多名育才学校的师生，有 300 多人加入了中共地下党组织。在此后的重庆学生运动中，育才学生发挥了骨干作用。育才几乎成了中共地下党的人才库。

随着国民党反动当局加紧对育才学校实行经济封锁，要维持几百名师生的开支，陶行知常常发愁，甚至做梦都听到“谷子在仓里叫”，为此他专门写了一首《谷子在仓里叫》的诗：

谷子在仓里叫。
汉奸在沙发上笑。
我们要给老百姓吃下去，
化为做工的力，
为同胞谋福利。
为什么把我们关在这里，
给奸商居奇？

谷子在仓里叫，
苦孩子在肚子里叫，
我们要给难童吃下去，
长得又壮又高，
化为智慧的笑。
为什么把我们关在这里，
耽误了年少？

陶行知不得不整天在外东奔西跑，筹募经费。朋友们见陶行知越来越瘦，整天为学校奔波，担心他的健康，纷纷心疼地劝他：“环境如此艰难，丢下育才吧！你何必顶着石臼做戏，抱着石头游泳呢？”

陶行知笑了，他说：“不，你们说错了，我是抱着爱人游泳，爱人怎么能丢掉呢？一定要抱着爱人游泳，游过急流险滩，到达胜利的彼岸。”

为了渡过经济难关，陶行知把孩子们分成了三路，一路是一些老师和学生去募捐；一路是戏剧组去重庆、北碚、合川公演，音乐组的举办音乐会，绘画组的举办画展增加收入；一路是学习延安开荒的做法，让一些大同学去开荒，边劳动边学习和娱乐，42 天开荒 30 亩。

这种精神结出了丰硕的果实。1943 年，育才学校在重庆“抗建堂”演出儿童剧《小主人》，赚得了观众眼泪无数，大获成功。新华日报随后连续刊发 5 篇评论：“育才的孩子们在艺术上的成绩，是谁也不能否认的。不仅是他们在工作的认真和努力上值得赞许，而且他们在平常学习中的进步也是非常惊人，他们已不是只按着导演先生的指导来做，而且是自己创造。”

在艰难中创造，才会有奇迹的发生，育才就这样在困难中坚持下来了！学校不仅建立了小学部、初中部，甚至还有了游泳池、美术馆。陶行知终于抱着爱人游泳到了彼岸。

在学校经费最困难的时候，陶行知在写给妻子吴树琴的信中说：“昨天公朴（李公朴）先生来信，为我们筹了五千元，可见千里之外，尚有人记着我们的。”

抗战期间，物资极度匮乏，生活极度艰苦，但陶行知却凭着执着和乐观办成了学校。陶行知一位后来在联合国救济总署任职的外国朋友，曾实地参观过当年的重庆育才学校。他这样评价陶行知和育才学校：“他很可能在政府里成为一个显宦，在社会上成为一名要角的。但他宁可做一个陶先生这已经很够了……那些孩子就是陶先生的小孩子。他们自由，活泼可爱，正和陶先生一样。在他们所说的所做的每一件事后面，都有一团火燃烧着……陶先生要把所有的那些小莎士比亚、小伦勃朗和小爱因斯坦保存下来……陶先生在他学校里实现了他为全中国所争取的民主，因为他是‘民主同盟’的领袖之一。”

育才学校声名卓著，佩服者有之，嘲讽者也有之。

但不管外人怎么议论，陶行知乐在其中。正如他说过的：“人生是患难与欢乐所织成。追求真理的人以与患难搏斗为乐，唐僧向西天取经，遭遇八十一难，不知者以为他是自寻苦吃，其实他是抱着一个宏愿要完成，看破生死，乐而忘苦。总之，人生与患难有不解之缘。患难给有志者以战斗之情绪与战胜之智慧。有了战斗之情绪与战胜之智慧，还必须有战到底之意志，才能克服大难，以至于成。”

陶行知就是有这种无穷的热情和无穷的创造力，为了他的教育梦，虽九死其犹未悔。

第五章
人生，为一大事来

力行职业教育　创办社会大学

“抗战胜利了!”

全国上下一片欢呼，但内战的阴影也笼罩在国家的上空。大家都希望国共双方能停止战争，保留来之不易的和平。

此时陶行知已将民主的希望寄托于中共身上，他在 1945 年 11 月 1 日的《民主教育》创刊号上撰文《民主》道:“毛泽东先生写的《新民主主义》，和中国民主同盟临时全国代表大会所通过的纲领，都系实现真正民主的路线。”

但和平的喜悦没有维持多久，内战爆发了。

1945年11月25日晚，云南昆明几个大学师生在西南联合大学召开反内战的时事讨论会，6000余人参加，费孝通等教授演讲，没想到百余名特务冲进会场捣乱。次日，昆明30000名学生举行罢课，抗议军警破坏晚会的暴行，要求取消禁止自由集会的禁令，反对内战，呼吁美军撤离中国。

1945年12月1日，国民党军政部所属第二军官总队和特务暴徒数百人，围攻西南联大、云南大学等校，毒打学生，并投掷手榴弹，炸死多名学生和教师，打伤60余名学生，制造了震惊中外的"一二·一"昆明惨案。

两天后，陶行知代表救国会出席在重庆召开的"追悼昆明反内战被害烈士大会"。在会上，陶行知慷慨激昂地宣读了自己写的悼词，表示要继承遗志，与各党各派、无党派及亿万同胞共挑反内战争民主自由之担，向民主与自由发出呼唤，向专制与暴政表示抗议。

而在参会前夕，陶行知担心蒋介石要对前往参加纪念活动的进步人士下毒手，专门给妻子吴树琴立下遗嘱："我到长安寺去祭昆明反内战被害烈士，也许我们不能再见面。这样的去是不会有痛苦，望你不要悲伤。望你参加普及教育运动，完成四万万五千万人之启蒙大事。”

12 月 16 日，中共派出代表团由延安抵达重庆，与国民党商谈停战及召开政治协商会议事宜。陶行知对国共相聚于会堂，而不再兵戎相见寄予莫大期望。12 月 22 日，他写了一首不短的诗，题为《政治协商会议之路》，诗中一再告诫：

> 这一回别再叫国人失望；
> 一言一行要为别人着想；
> 产生一个民主的联合政府；
> 首先停止内战！
> 首先停止内战！
> 首先停止内战！

此时的陶行知，成为一名走上战场的民主斗士，为民主为和平奔走呼号。当然他也并没有忘记教育，又有了办社会大学的打算。

在抗战期间，陶行知除了创办育才学校外，还在重庆渝中区管家巷办了一所夜校，每周星期六晚上安排一次讲座。讲座以“学习民主主义”

为主要内容，故名为“民主讲座”。

夜校开办两个多月来，公务人员、中小学教员、企业职员等社会各界人士都来听讲座，十分踊跃，大家一致建议陶行知扩大夜校规模。此时，恰逢国统区失学青年多，正规大学少，而国民党政府忙于内战。陶行知的办学梦又开始重新被点燃了，只不过这次办学的对象是青年人。

“依我统计，每年高中毕业有 11 万人，能考取正式大学的只有 1 万多人，每年有 9 万多高中毕业生进不了学校的门”，“从 16 岁到 40 岁的人中，相当于高中毕业的全国有 200 多万人需要在职业大学进修学习。还有受过大学教育的人，为找工作养活自己，觉得时代已经变动需要再学习。还有大群的自学青年，倘使得到社会大学的便利，进步可能更为迅速。这样估计起来，至少再加 200 万人”，陶行知认为，中国有 400 万职业青年需要社会大学帮助他们进修，因此“我们应该在全国展开社会大学运动，在各大都市建立夜大学和早晨大学，来应济这广大的需要。正统大学能附设夜大学、早晨大学固然可以，但是单独设立尤有必要”。

陶行知决定在重庆创办社会大学。他还写了一首《社会大学》的诗来表达自己的思考：

先办夜大学，
夜间求学无人管。
职业青年千千万。
格物致知久已旷，
万仞宫墙飞不进，
教育制度缺一环。
要想深造丢饭碗，
丢了饭碗家人靠谁养！
只有白天做工夜求学，
肚皮头脑都饱满。

陶行知对和平抱有极大期待，他想为未来的和平中国培养更多的人才。

1946 年 1 月 15 日，重庆社会大学正式开学。陶行知提出，办社会大学要自己发起，自己筹款，自己选董事，自己选校长，请真理做老师。为此社会大学有一个高规格的董事会：冯玉祥、张澜、沈钧儒、吴玉章、史良、陶行知、李公朴等为校董，冯玉祥为董事长。董事会推举陶行知为任校长，李公朴为副校长。

如同以往，这所学校的一切设置都是从青年们的需要出发。

在系别方面，社会大学设有政治经济系、文学系、新闻系、教育系、民间艺术系，都是当时青年们特别关注的内容。而民间艺术系后因报考学生较少，又与文学系相近而取消。

在课程设置方面，学校设置必修课、专业课，还有专题讲座课，一般在每星期六讲授，有针对全校的，有面向各系的，听讲座的人，不限于社会大学师生，经过介绍，校外听众也可以来听。因此尽管社会大学的学生只有 197 人，但到了周六听讲座的时候，就会猛增到 500 多人。

在师资方面，学校首次聘请的 32 位教师，都是国内有名的教授：翦伯赞讲授中国通史，章乃器讲授现代经济学，曹靖华讲授苏联文学，胡风讲授文学创作方法，侯外庐讲授中共学术思想史，骆宾基、艾芜讲授作品选读。至于来做专题讲座的，从梁漱溟、老舍到陈白尘、熊复，可谓名家如云，都是一时之选。

社会大学开学典礼那天，盛况空前，社会各

界来宾共1000余人，抗日名将、董事长冯玉祥、著名经济学家马寅初都到会祝贺，并送来匾额。会上，陶行知发表了热情洋溢的演讲：“我们这所社会大学，其条件是应有热心的教授，探求真理的学生，以及我们新的大学之道：明民德，亲民，止于人民之幸福。”

陶行知还专门写了一首《社会大学颂》说：社会大学有两种，一种是有形的社会大学，一种是无形的社会大学。有形的社会大学是夜大学、早晨大学、函授大学、新闻大学等，无形的社会大学以青天为顶，大地为底。社会大学之道，是要为人民造幸福。

创办这样的学校，艰难可想而知，“社会大学不像中国其他的学校，高高在上，使人民大众可望而不可即，社会大学是和老百姓最亲近的学校”，“我们没有像美国那样的物质条件，更没有像苏联那样进步的政治、经济、社会环境，我们今天的中国，连人民的基本生活条件都还没有得到”，李公朴不止一次说道。

因为一切从简，办学经费除陶行知募捐外，学生要交一点学杂费。学校的开支是很节省的，学校的设备都是学生自己装备，办事人员也都由学生担任，分文不取，教授上课也基本是义务的。

在当时政治斗争极为复杂的情况下，社会大学没有公开招生，考生须有一位进步人士介绍，个别找不到介绍人的则要经过严格审查认可方能报考。考试为开卷，题为《试论民主世界与新中国的创造》，写中、英文自传各一篇。首期招收100余人，百分之九十以上是职业青年，因此，上课时间为每晚6点至9点50分，上四节课。

社会大学是一所职业大学，与晓庄、育才一样，陶行知提倡“教学做合一”，倡导“自学为主、教授为辅”，李公朴还提出了主动的、实践的、集体的、正规的四种基本学习方法，各系都编有学习小组，实行学习互助，开展课堂讨论，进行专题研究。学生们还根据自己的专业和爱好，组织时事研究小组、戏剧研究小组、音乐研究小组、采编小组。

学期结束时，每个学生按照“教学做合一”精神，对本学期所学各门功课写出心得体会和学习总结。考试由教师出题，实行开卷，允许翻阅资料，自由交换意见，总之一个目的就是学生要说出有新意、有创造的话。

更重要的是，在这样的学校，读书不是关起门来进行，而是家事国事天下事事事关心。这也是当时周恩来、董必武、吴玉章等人的希望。如同此前的育才学校一样，社会大学做的就是培养革命干部的工作，可以在国统区组织和发动民主运动埋下革命的火种。

就在社会大学成立前几天，1946 年 1 月 10 日，国共双方签署的停战令发表。当天，政治协商会议在重庆开幕，陶行知作为民盟政协代表顾问团成员，参与策划民盟政协提案。政协开幕的第二天，陶行知与胡厥文、李公朴、章乃器等 35 人被推为陪都各界政协协进会理事。协进会的口号是："政协会议只许成功，不许失败！"

大家在台上演说，特务们混在会场中放鞭炮、敲小锣、喝倒彩、向台上掷石头。但陶行知没有被吓住，他写了四句诗："主人要谈话，公仆摔石头。纵被石打死，死也争自由。"

不仅校长陶行知"死也争自由"，社会大学的学生们一边上学，一边"死也争自由"，用自己的活动实践陶行知的民主教育思想。

1946年2月10日，社会各界在较场口集会庆祝政治协商会议的胜利，社会大学学生担任接待和纠察的任务。当特务冲击会场，野蛮行凶，制造了震惊中外的“较场口惨案”时，又是陶行知、李公朴等校领导带领学生冲在最前面，勇敢地保护了当时与会的许多进步人士，学生们突围出去，把受伤的进步人士送往医院治疗。

“较场口惨案”发生第二天，社会大学就参与组织了“二·一〇血案后援会”，发表紧急呼吁，向国民党政府提出惩办凶手，立即解散一切特务组织等六项要求。

一周后，当李公朴伤愈出院，头上缠着绷带返校时，陶行知还专门召开了学生大会欢迎他的归来。他站在讲台上，对李公朴的壮举给予了极高的评介，号召学生继续起来为争取民主而斗争。说到激昂处，他一把握住李公朴的手，高高地举过头顶，大声疾呼：“为民主不惜牺牲一切！”

当然，这样的行动也引起了国民党当局的注意。3月下旬，蒋介石亲自签发了对社会大学的查封令。于是，由于国民党反动派的高压，社会大学在不到三个月的时间里即被迫解散。

尽管要解散了，4 月 29 日，社会大学的第一期总结会如期举行，与会者都是当时的名人大家：吴玉章、李维汉、郭沫若、沈钧儒、张友渔等。听了各系学生代表的精彩汇报，专家们称赞连连。

李维汉说："社会大学的教育宗旨、方法形式同解放区学校相似的地方很多，都是按大众需要来办，都是由学生亲手来办，这就是教育的民主化，希望能遍及全中国。"

沈钧儒说："听了同学们的汇报，很高兴。在普通学校里，一般的教授都是留声机一样的教，学生也像机械一样的听，要说心得真是难乎其难。而今天，我们社会大学的学生却不同，每个人有每个人的心得，再把这些心得合而为一，成为大众的心得。"

还有些专家提出了实打实的建议，比如郭沫若，作为一个演讲大家，他对学生们的表达形式提出了很多好的建议："今后我们用嘴的地方很多，对人民我们要用嘴巴来说服他们，领导他们，说话声音要明朗，咬字要清楚，发声最好先低后高……演说如果要有煽动力，这是一个秘诀。"

社会大学是不同于晓庄、育才一类正式学校

的大学校，是陶行知先生生活教育理论的一个方面，更是他“社会即学校”理论的具体呈现。关于这个大学校，陶行知先生有一套完整的理论。重庆社会大学和后来的上海社会大学，都是实践陶行知先生关于社会大学思想的场地。

虽然办学时间不长，但社会大学成了重庆民主运动的一面旗帜，师生经历了生死的考验，其中，陈作仪、程谦谋、胡作霖、周后楷、高力生、邵文征、单本善等 15 位学生因为投身革命而牺牲在白公馆和渣滓洞。

1949 年重庆解放之际，社会大学与育才学校、红岩小学的师生一起将重庆的第一面五星红旗升起，虽然陶行知已经看不到了。

最后的一百天　为民主赴汤蹈火

1946 年，因为抗战的胜利，曾经避难大后方的各级政府、各种组织，以及个人都开始准备离开重庆。

陶行知也做好了离渝赴沪的准备，他决定回到上海去，一来可以为育才学校筹来更多善款，二来又能实现另一大理想——办“社会大学、新闻大学、无线电大学”，把整个上海变成学校，让上海所有劳苦大众都可以接受教育。

4 月 18 日，陶行知与吴树琴风尘仆仆来到上海，想着找一个全新的地址，让育才学校和社会大学都能迁过来。

他就住在同乡好友开的饭店——胜利饭店三楼一个亭子间，在这里，陶行知开始了为生活教育总社和育才学校、社会大学迁址的筹备工作，同时参加各种活动。亭子间仅 8 平方米，屋内仅有旧铁床、桌、方凳、小橱，身居斗室，朝西小窗太阳直射，闷热难耐，但陶行知一直住在此，不以为意。

再次回到上海，陶行知满怀热忱：“我怀抱着为国为民的热情来到这东方大城。主要是想做上海的工作，想在上海创办社会大学、函授大学、新闻大学、无线电大学、海上大学、空中大学，让整个上海都变成学校，让上海 500 万市民都能受到教育和再教育的机会。等我到上海后，同时也要和美国朋友商量，创办育才大学附设中学、小学、幼稚园。这样，我的生活教育的设想就可以全部实现。”

此时的他，投入反独裁、争民主、反内战、争和平的斗争，为推行民主教育赴汤蹈火、殚精竭虑。他激情四射，在工厂、学校、机关、广场发表演讲 100 余次。

4 月 21 日，上海教师千余人聚集在市立育才中学，欢迎陶行知。陶行知现场作了《民主生活与民主教育》的演讲。

4 月 24 日，在储能中学召开的上海教育界欢迎会上演讲。在大任小学、圣约翰大学、大同中学、沪江大学……到处都留下了陶行知的身影。

5 月 4 日，陶行知就筹备成立生活教育社上海分社，并向上海特别市社会局呈文请求立案。社会局终未批准立案。当局对陶行知的态度可见一斑。

6 月 23 日，上海 10 万群众在北火车站欢送上海各界反内战赴南京向政府请愿的代表，大家把两个汽车临时拼成了一个演讲台，陶行知大声疾呼："八天的和平太短了，我们需要永久的和平！假装的民主太丑了，我们需要真正的民主！我们要用人民的力量，制止内战，争取永久的和平；我们要用人民的力量，反对独裁，争取真正的民主！"

6 月 25 日，陶行知在国际饭店代表 54 个人民团体举行的外国记者招待会上，要求美军立即撤退。

6 月 29 日，陶行知与郭沫若、沈钧儒等发起《致美国人民书》……

这些演讲的主题多离不开民主，“讽刺政府”的言语更是少不了，可想而知，国民党当局怎么看待陶行知。

当时上海有一个中共地下党领导的刊物《消息》，创刊不足两月就被政府查封，但上面却曾刊登陶行知的贺诗：“说是人民第一，弄得没有饭吃。指望内战快停，愿您传此消息。我从首都经过，自由尚无一滴。自从到了上海，喜见民主消息。”

7 月，重创和打击接踵而至。

7 月 11 日、15 日，陶行知的好友李公朴、闻一多相继被刺杀，同为文化界的民主斗士，同为教育的热心人士，这二位的死亡让陶行知愤怒无比、伤心无比。

在闻一多被杀害的次日早晨，出生在四川乐山、长在成都的加拿大籍传教士文幼章去看望陶行知，陶行知悲痛地对他说：“国民党专横独霸已经有二十年了。他们拥有全国的军队与警察，然而他们还要像蛇蝎一样向上爬，去盗窃那些进步的手无寸铁的评论者的生命。”

在众人的劝说下，7 月 22 日，陶行知从斗室搬到了爱棠新村 13 号好友任宗德的家里。

当时有人好心提醒陶行知，“杀了李公朴、闻一多，有人说，你就是第三枪瞄准的对象。”

但陶行知说：“我等着第三枪！如果消息确实，我会很快地结束我的生命，深信我的生命的结束不会是育才和生活教育社之结束。我提议，为民主死了一个，就要加紧感召一万个来顶补。”

7 月 24 日，陶行知与郭沫若、马叙伦、茅盾、田汉等 30 余人致电哥伦比亚大学历史学院，要求他们派遣代表调查李公朴、闻一多被暗杀事件。

下午，为了给筹建中的育才学校筹集经费，陶行知连续写了 5 个小时的字，计划卖字办学。因为生活教育社社员暑期进修班次日开学，他写下了“研究人民的学问，为人民的幸福而教导，要达到文化为公，学者有其校”。这是他留在世上的最后一幅字。

当晚，陶行知彻夜整理自己心爱的诗稿：

流吧，流成血的鸿沟，

使内战魔渡不过去，
叫中国不致毁灭；
死吧，死尸像天梯样，
一层层堆列，
让自由神快快走下来，
叫中国不会分裂。

但谁也没有想到的是，病魔也在此时悄悄接近了陶行知。陶行知患有高血压，且营养不良，过度劳累，都使他的病日趋严重。7 月 25 日，陶行知突发脑溢（出）血，猝然离世，他自己变成了那“死尸的天梯”的一个台阶。

任宗德这样回忆陶行知借住任家及发病的情景：

7 月 25 日晨，和平时一样，我们聚在饭厅准备吃早点。8 时过了，陶先生还未下楼来，我就让俞世堃上三楼去请他下楼来就餐。不一会儿，俞世堃慌忙跑下楼来，急切地连声说：“不好了，陶老师犯病了！”我即上楼到陶行知卧室一看，发现陶先生在卫生间靠着马桶半躺在地上。走近一看，陶先生头发热，面带赤，口喘气，病状十分严重。我于是立即给沈钧儒先生打电话，告知了陶先生的病情，请他和他儿子沈谦（著名的西医内科专家）尽快赶到我家来设法诊治抢救。沈老一听就急了，连忙说“我们即刻就到”。同时，沈老迅速将此事打电话报告了周恩来。我又打电话通知了陶夫人和沙千里、史良等。

虽然每一个人都希望发生奇迹，但中午 11 点半的时候，陶行知浓重的喘息声渐渐变小，离开了他所眷恋的人间，他最爱的教育。

而在他去世的前九天，他在给育才全体师生写的一封信中写道：“公朴去了，昨今两天有两方的朋友向我报告不好的消息。如果消息确实，我会很快地结束我的生命……”

陶行知去世当日下午，周恩来正在上海逗留，接到消息，他和邓颖超第一时间赶到陶行知的住所，当时他本要飞到南京会晤司徒雷登大使，结果取消了下午所有的行程。

悲痛万分的周恩来立即向延安发电评价：“这是中国人民又一次不可补救的损失。十年来，陶先生一直跟着毛泽东同志为代表的党的正确路线走，是一个无保留追随党的党外布尔什维克。”“假使陶先生临终时能说话，我相信他必继韬奋之后请求入党。”

毛泽东在延安窑洞接到周恩来从上海发给党中央的电文，十分悲痛，当天就与朱德共同发来唁电：惊闻行知先生逝世，不胜哀悼！先生为人民教育家，为民族解放与社会改革事业奋斗不息，忽闻逝世，实为中国人民之巨大损失，特电致唁。

7 月 26 日上午，上海万国殡仪馆挤满了前来悼祭的群众，老百姓自发为先生送行：你去了，我们穷孩子的保姆，我们的朋友，人民的导师。中共代表团亲自送来挽联：“中国人民教育旗手，民主运动巨星”。宋庆龄专门送来了挽联，并亲自手书四个大字“万世师表”。

从上海到南京，再到安庆，凡是陶行知足迹走过的地方，听闻了他去世的噩耗，无不悲痛不已，都在自发举行纪念活动。谁也没有想到，先生走得那么突然！

辉煌身后事　先生精神不灭

陶行知虽然去世了，但关于他的故事一直流传。

从 7 月底至 12 月初，长达 5 个月时间，上海、重庆、延安、南京、香港等地，相继举行大规模的悼念、公祭活动。

最先报道陶行知逝世的是南京《联合晚报》，报道题目以“民主运动又一大损失，陶行知今午逝世，在友人家突患脑溢血”刊出，此后重庆《新华日报》、延安《解放日报》、上海《申报》等大报都用醒目大标题长篇报道各地的悼念活动，还连续发表了胡乔木、钱俊瑞、吴玉章、何其芳、华岗、张友渔等众多知名人士的回忆和纪念文章。

8 月 11 日，延安各界代表 2000 多人在中央大礼堂举行陶行知追悼会，礼堂四周挂满了各界送的题字，毛泽东送的挽词是：“痛悼伟大的人民教育家”。

10 月 27 日，由 7000 人参加的上海各界追悼陶行知大会在震旦大学礼堂举行，到会的有工人、农民、学生、文化界及外国友人。沈钧儒、史良、陈鹤琴、翦伯赞、洪深、田汉、郭沫若、叶圣陶这些生前的至交好友都来了，他们无一不流下热泪。中国民主同盟专门送来挽联：“死生以之，为中华民主奋斗；知行合一，是先生教育精神。”

声势浩大的纪念活动依然在持续，从海外华

侨到国内百姓，从著名学者到普通农人，从国民党人到共产党人，他们都来了，为陶行知的精神所感佩不已。

而在海外，这种纪念也在进行。12 月 9 日，美国教育界名流和中国留美人士 300 余人，在纽约举行追悼大会。杜威和冯玉祥担任大会名誉主席。杜威、克伯屈等出席大会并发言。与此同时，新加坡、菲律宾、马来西亚等地的华侨及香港同胞，也都举行了追悼会。

每一个人都在用心去追念这位伟大的教育家。

美国学者费正清在《伟大的中国革命》里专门提到了陶行知："陶行知是杜威的学生，但他正视中国的问题，则超越了杜威。他在群众教育运动方面非常积极，为工人和贫苦人民办夜校和各种中心。他开展'小先生'运动，让文盲学好后以他们的新知识教育其他文盲，这样连锁下去，对于 1927 年的反共产主义分子来说，这就好像一个政治的炸弹一样。"

陶行知的朋友加拿大人文幼章深受他精神的鼓舞："陶博士具有强大的感召力，使得每一个善良的人，都愿意贡献出他所能为社会作最大服务，在实际工作上教育他们，鼓舞他们。他是目标明确，行为笃实，生活刻苦自励的活的融合体。没有一个人比他更知道中国的真正需要，没有一个人像他那样勇敢果决的为大众教育、为民主的组织与实践奋斗终身。”

而曾经是陶行知学生的胡慕罗永远记得自己的恩师：“我一直引以为豪，曾经是陶行知先生创办的育才学校的学生。我曾经多次跟朋友讲起，我在育才这段时间的学习与生活，特别是告诉他们，在抗日战争艰苦的时期里，中国民主人士、伟大的教育家陶行知先生创办育才、培养幼苗的故事，他的为人、道德、品格，甚至名字的意义……这是我对陶行知的敬仰、爱慕，对老师和同学的感情，念念不忘的恩情。”

与陶行知同时代的梁漱溟更写过这样一段话：“想到我亲切结识的盖世人物而衷心折服者不外三人，而陶先生实居其一，其他二人便是毛泽东主席和周恩来总理。”

梁漱溟虽与陶行知的言论主张不尽相同，却极其佩服陶行知：“陶先生是一个一往直前，奔赴真理的人。大家谁都佩服陶先生是一个力行的人。

但须晓得，他所以表著出来如此者，正为他内心好恶简捷有力。当今天这个‘好话说尽’的世界，一切只见说不见做，越显得陶先生朴勇卓绝，任何人都落在他后边。你只见众人随着他走，受他感动鼓舞而向前；不是吗？他不唯勇往，而且踏实沉毅。因此，勇于奔赴理想的人尽还有，而终不及他。我在此等处，最折服陶先生。我简直要五体投地向他膜拜。陶先生又是一个富有创造力，遇事能独出心裁的人。反之，‘人云亦云’，‘蹈袭故常’，在他是绝没有的。陶先生既从事教育，所以在他事业里面无处不具有一段新意趣，新作风，乃至完全新的一套。中国今天最不能因袭，但可怜这老民族竟乏创新之力。对当前的政治问题经济问题，大家总在几种外国模型中转来转去，不能自出机杼。我很可惜中国政治上经济上没有陶先生其人。只有多出几个陶先生，中国才能得救，这是莫有疑问的。”

中国共产党里的许多高级领导人更是高度肯定陶行知，董必武专门写下悼诗：“吾敬陶夫子，当今一圣人。方园中规矩，教育愈陶钧。栋折吾将压，山颓道未伸。此生安仰止，无复可归仁。”

但谁也没有想到，新中国成立后，陶行知却因推崇武训精神而受到了江青等人的批判。这场猛烈的批判电影《武训传》和陶行知的运动，历时大半年，直到1951年底才沉寂下来，由此致使陶行知研究在当时成为国内研究的禁区。这种情况直到1981年以后才彻底改变。

1981年10月18日，全国政协在北京举行纪念陶行知先生九十周年诞辰大会。中共中央政治局委员、全国人大常委会副委员长邓颖超在讲话中重申了中共中央、毛泽东和周恩来1946年对陶行知先生的评价，她说："陶行知先生为中国民族民主革命和人民教育事业而献身的精神，是值得我们敬佩和学习的。"

自此，陶行知这个名字坚冰消融，春归大地。对陶行知的赞誉如潮水般涌了过来，对陶行知的研究蓬勃地开展起来。

1985年9月，中国陶行知研究会成立了，其宗旨就是继承和发扬陶行知教育思想，研究成员开展了农科教结合、农村教学做合一试验、师范生顶岗实习支教、创造教育实验、生活德育、生活作文等多项研究和实验活动，再次证明了陶行知教育思想穿越时空的强大生命力。

几十年过去了，陶行知这三个字已经与“人民教育家”画上了等号，似乎后世再难有超越者。

斯人已逝，但他“为中国教育寻觅曙光”的伟大抱负，“捧着一颗心来，不带半根草去”的奉献精神，“有教无类、爱满天下”的博大胸襟，“敢探未发现之新理，敢入未开化之边疆”的创新精神和“为一大事来，做一大事去”的高尚品德，都是值得后世学习的。

有一种精神不会死亡，先生之风山高水长。陶行知不仅属于中国，也属于全世界。